聞く力

心をひらく35のヒント

阿川佐和子

文春新書

841

聞く力　心をひらく35のヒント◉目次

II 聞く醍醐味

III 話しやすい聞き方

まえがき

正直に申し上げて、本書を刊行してよいものかどうか、この期に及んでまだ迷っております。出版元である文春新書編集部の向坊健さんにおだてられ、つい、ここまで書いてしまったものの、思えばどうしてこんなことになったのかと、戸惑いを禁じ得ません。

躊躇する第一の理由は、まず私が「新書」というものを出す柄ではないということです。「新書」とはそもそも、学術的側面において人様に知らしめるべき知識や技術や意欲を持っている人が記すものであり、私は、その範疇にありません。きっぱりはっきり申し上げますが、まったくもって、ありません。

さらに、私の対談の連載はかろうじて継続していますが、インタビューはまだ修業中であります。一九九三年の五月に始まった週刊文春の「この人に会いたい」という対談連載は九百回を越え、年数で言うと今年の春から二十年目に突入します。まあ、よく続いているものだと我ながら感心しますけれど、これだけ続けていれば少しはインタビューが上手になっただろうと聞かれると、その実感はほとんどありません。本文にも書きましたが、今でも対談に出かける前は、ビクビクどきどきしております。あら、インタビュー？　ちょちょいのちょいでやっつけてきますよ、なんて、そんな余裕はないのです。

まして最近、テレビのインタビュー番組を始めてしまい、活字に加えて映像で私のインタビューの様子があからさまにされることとなりました。まあ、それが嫌なら引き受けなければいいのですが、そこがほら、「おだてられると木にも登る小心者」の弱みでありまして、とにかくそんなインタビュー修業過渡期の段階に、このような「聞く秘訣」のごとき書物を出版してしまったら、何より自分のクビを締めることになりかねない。

あら、アガワさんって、その程度の準備でインタビューに臨んでいたのね。

へえ、アガワさんって、そんなふうに無知を隠して平然と質問してたのか。

そうか、アガワさんのあの聞き方は、一つの方便だったのか。

私の秘密が、読者、あるいはゲストの知るところとなってしまった暁には、今後の対談仕事に影響を及ぼしかねません。やはり暴露すべきではないのでは……。

でも、そう思う反面、私を諭す己の声も聞こえてきます。

おいおい、アガワよ。何をおびえているのかね？　誰もアンタに立派な学術書なんて期待していませんよ。インタビューの発展途上者であることも、重々承知しています。ただ、アガワの拙いインタビュー経験や数々の失敗から、「聞く」という行為について読者が改めて考える機会を得て、何か一つでもヒントを見出すことができたなら、それで十分ではないのかい？

昨年三月十一日の東日本大震災以降、被災者ではない日本中の多くの人々が感じたと同様に、私もしばらくは、何も手につかないほどの虚無感に襲われました。いったい私に何ができるのだろうか。何の役にも立てないのではなかろうか。無力な自分に焦りを覚え、その時点でやらなければならない仕事のすべてが無駄に思えるほど、やるせない気持になりました。それでも時は刻々と過ぎゆき、日常は巡ってきます。とりあえず、締め切りの迫っている原稿を書き、ラジオやテレビの仕事に出かけ、週刊文春の対談をこなさなければなりません。そんななかで昨年の五月、糸井重里さんにお会いしました。

新しいメディア作りに挑戦しておられる糸井さんが、今回の震災についてどんな実感をお持ちか、日本人はこれからどうやって生きていけばいいのか。それこそヒントになる言葉を求めて糸井事務所に赴きました。すると糸井さんはこんな話をしてくださいました。

「僕はずっと、被災地に行く理由が見つからないんだけど行かなきゃならない、という気持があって、でも理由がなきゃ観光旅行と何が違うんだって、自問自答してたんです」

驚いたことに糸井さんも、震災直後は心が右往左往する日々を送っていらしたそうです。そんなとき、糸井さんはネット上で一人の被災者の女性に出会います。

「津波に遭い、命からがら逃げ出した二十二歳の女の子にツイッターで知り合いまして、このあいだ、その子とここの事務所で会ったんです」

糸井さんは彼女に素直な気持を吐露します。被災地へ行きたい思いは山々なれど、どこへ行って何をすればいいのかわからないと。するとその女性が応えたそうです。

「行くなら訪ねてほしいところがあります」

その一つが避難所。避難所の人たちは、話をする相手がいない。なぜなら、家が壊れた話を訴えたところで、みんな同じ目に遭っているから、誰も驚かないのですと。

家族を失い、自ら九死に一生の体験をしながらも、その話をすると、「ああ、私はもっと怖い経験をした」という言葉が返ってくるだけで、誰も親身になって耳を貸してくれそうな状況ではないというのです。

「だから避難所に行って話を聞いてあげてください。来てくれたというだけで、孤独じゃないってわかるから。自分が忘れられていないと気づくから」

彼女は糸井さんにそう言ったのです。さらに糸井さんに訪ねてほしい場所として、その女性は、いまだ身元の判明しない遺体が放置されている「遺体安置所」と、津波に呑まれた「お墓」を挙げたそうです。

「その話を聞いたとき、行く！　俺に何ができるかわからないけど行く！　って思った」

そして、その話を糸井さんから聞いたアガワは、すぐさま「行く！」と決心したわけではないけれど、『聞く』だけで、人様の役に立つんだ」ということを知り、なんだか胸のつかえが一気に下りた想いがしたのです。

さらに話は変わりますが、私は十年ほど前から、農林水産省などが主催する「聞き書き甲子園」という仕事を続けています。これは、全国の高校生百人がそれぞれ、森で働く名人百人のところを一人で訪ね、「聞き書き」をしてレポートをまとめるという活動です。森の名人とは、木こり、造林、炭焼き、枝打ち、椎茸作りなどに従事する職人のことですが、一昨年からは範囲を広げて、川や海の名人にも加わっていただくことになりました。

さてそこで私が何をしているかというと、

「これから森の名人のところへインタビューに出かけようとしている高校生たちに、インタビューの心得のような話をしてやってください」

そんな依頼を受けて、簡単なレクチャーをすることになったというわけです。実際のところ、高校生に課されたノルマはけっこう苛酷です。もしかすると私の対談仕事より大変かもしれません。まず、見ず知らずの名人（ほとんどが六十歳以上の高齢者）に電話をし、訪問する日を決め、当日は電車やバスを乗り継いで、森の奥へ一人で出かけ、「初めまして」と会った瞬間からテープを回してインタビューを始めるのです。助けてくれる大人はいません。ときに方言がきつくて、何を話しているのか聞き取れないこともあります。それでも高校生は諦めず、真摯《しんし》に名人の人生や仕事について、聞き続けるのです。

インタビューを終えると自宅へ戻って、自分でテープ起こし（これが大変だったと、どの高校生も泣いていました）をし、要点を拾い上げ、名人の一人語りのかたちでレポートをまとめます。

半年後、百作品が集まったところで、私は高校生たちと再会します。そのとき、数点の優秀作品を発表し、その対象となった森の名人と、取材をした高校生を舞台にあげて、苦労談を伺います。

「いかがでしたか？」

　マイクを向けると、レポートをまとめた高校生が、

「最初、名人に森の中へつれていってもらったんですが、このおじいさん、猿か、と思いました。高い木を縄一本でスルスルって、すごいスピードで登っていくんです」

　まだ恥じらいを残した小声で応えます。すると今度は名人が、

「いやあ、わしの話、聞きにきたっていうんだども、緊張しちゃって、なあんも質問しねっからさ。こっちが心配になってああだこうだ話してるうちに、な」

　レポーターである高校生に向ける名人の目は、まるで実のおじいさんのような優しさに満ちています。

　これは面白い、と私は思いました。この企画のそもそもの意図は、もはや跡継ぎもいなくなり、消滅するいっぽうの森の仕事を、若い高校生に知らしめることでした。少なくとも私はそう理解していたつもりです。ところが蓋を開けてみたら、その経験をして「大変だったけれど面白かった」と応える高校生の横で、嬉々とした表情を浮かべているのは、高齢の名人たちだったのです。

「最初、こんな孫みたいな若い高校生に、何を話せばいいんだか、何の役に立つんだか、

わかんねかったけど、会って質問されてるうちに、うれしくなっちゃってね。だって、家族も知り合いも、誰も自分の仕事のことなんかに興味持ってくれないからね。こんなに自分の話、長くしたことねえもんな」

もはや「跡継ぎなどいらん！　この仕事は自分でおしまい！」と豪語する名人たちが、「聞いてくれて、ありがとう」と高校生に感謝を述べている姿を見て、私は涙が出てきました。

「聞く」という作業は、何も私のように生業にしなくとも、誰もが一日に何度となく、まるで呼吸をするごとく、自然に行っていることだと思います。道を聞く。値段を聞く。講義を聴く。お喋りを聞く。愚痴を聞く。自慢話を聞く。いい加減に聞く。熱心に聞く。迷惑そうに聞く……。聞き方にもいろいろな種類があります。同じ話を同じ場所で聞いたはずなのに、一緒にいた人と、その後、記憶に残っている言葉がまったく異なることもあります。

「この間、あの人、こんなこと言ってたよね」

「え？　そうだっけ？　私はあの話が印象的だったけど」

「え？　その話はぜんぜん覚えていない」

どの言葉が脳みそに納められるのか、聞き手によってあまりにも違っているので、驚かされることがあります。でもそこが「聞く」ことの面白みであって、だから人は聞き続けるのだと思います。

同じ話も新しい話も、可笑しい話も感動的な話も、人に話を聞くことで、自分の心をときめかせたいのです。素直な気持で好奇心の赴くまま人の話を聞いたとき、聞き手は自分の記憶や気持をそこに重ね合わせ、必ず何かを感じ取るはずです。そして、聞かれた側もまた、語りながら改めて自分の頭を整理して、忘れかけていた抽斗《ひきだし》を開け、思いも寄らぬ発見をするかもしれません。

そういえば、あの上司の話は必ず長くなるから、いつも適当に聞き流していたけれど、明日は少し我慢して耳を傾けてやるかな。あるいは、おばあちゃんの昔話は毎回、同じだから「ああ、聞いた、聞いた、その話」と遮って敬遠していたけれど、たまにはゆっくり聞いてあげようかな。

そんな気持になってきた方は、どうか、次のページをめくってみてください。

Ⅰ　聞き上手とは

1 インタビューは苦手

私はずっと、インタビューが苦手でした。正直なところ、今でも決して得意だとは思っていません。

マスコミの仕事を始めて以来、雑誌やテレビでそれなりにインタビューを重ねてきましたが、「君はインタビューが上手だね」と褒められたことが、特に最初の十五年ぐらいは一度もありませんでした。それどころか、毎回怒られてばかり。どうしてもっと突っ込まないんだ、どうしてそんな些末な方向へ話を広げるんだと、私自身がよかれと思って判断したことは、ことごとく裏目に出る。センスないのかなと落ち込むことだらけだったのです。

仕事を始めてまもなく、ある週刊誌の連載で、「企業人に、女性活用について聞く」というページのインタビュアーを務めたことがあります。二人の女性を交代で聞き手に当て、さまざまな会社の社長さんに話を伺うという企画です。ちょうど男女雇用機会均等法が成立してまもなくの頃でした。

「御社は女性の活用について、どのようにお考えですか」

「女性が仕事をすることについて、どんなふうに思われますか」

「女性が仕事をするときの長所、短所はなんでしょうか」

今以上に女性が本腰を入れて仕事をする環境が整っていない時代。特別に優秀な人は別として、一般的には結婚するまでの腰掛け的な就職と思われる節が強く、責任あるポストに女性が起用されることは稀でした。たいがいの社長さんが、「いやあ、これからの時代、女性の能力は実に重要です」と口では言いながら、いざ、個人的なご意見を伺うと、「やはりウチの奥さんには家にいてもらわないとね。女性の幸せはなんといっても結婚ですよ」

などと、ぽろりと本音を吐かれる。でも私自身、男尊女卑をモットーとし、極めて亭主関白な父のもとに生まれ育った影響か、「そうだよねえ。女性が社会に出て男並みに働く力はまだないもんなあ」などと、社長さんの話に疑問を抱くこともなく、むしろ大いに納得して帰ってきたものです。

さて、二年ほど続いたその連載が終わることになりました。二人の新人インタビュアーをそばで支えてくださっていたライターのオジサン（当時はおにいちゃん）が、最後に打ち上げ食事会をしてくださるという。

「どうもお世話になりました。ご迷惑ばかりおかけして、さぞお荷物だったでしょう」

頭を下げると、いやいやと首を横に振りながらも、

「アガワさんはね、インタビューは下手だったけど、不思議と社長さんに嫌われなかったよねえ」

褒められたのかけなされたのか。でも、そういうときは、けなされた言葉のほうが印象に残るものです。自分でも上手だとは思っていなかったけれど、そうか、そんなに下手だったのか……。消すことのできない烙印を押された気分でした。

こうして私のインタビュー苦手意識は、しだいに揺るぎなきものへと成長していきました。能力は向上しないのに、苦手意識だけはどんどん強くなる。失敗すると、「だから下手だって言ったのにぃ」とヤケを起こしたりしていました。でもインタビューを避けてメディアの仕事を続けることは不可能です。いやだ、いやだ、あー、いやだと思いながら、しぶしぶインタビューを続けておりました。

アガワらしい対談ってなに？

それから十年ほど後の一九九二年の秋に、週刊文春の編集長に呼ばれ、「対談のホステスをやってみないか」と打診されました。

実はそれ以前の四年間、私は同誌でエッセイの連載をしていました。畏れ多くも林真理子さんや伊集院静さんと並んで日常雑記を綴っていたのですが、四年目ぐらいから、どうも調子が出ない。我ながら、「最近、上手に書けないなあ」と思っていた矢先、「エッセイの連載をそろそろおしまいにして、連載対談を始めませんか」という、お誘いのような、つまりはお達しです。そういうときは、新たな道を示された喜びより、それまで自分が歩いてきた道を閉ざされたショックのほうがグサリと胸に突き刺さるものです。

「ああ、やっぱり私のエッセイは面白くないんだ。薄々そうかなあとは思っていたけれど、やっぱりそうだったか……。でも、露骨にクビを切るのは可哀想だから、優しい編集長は私に『かわりに対談でもやってみる？』と恩情をほどこしてくださったに違いない」

意気消沈して家に帰りました。そして考えました。

連載エッセイがクビになったことはしかたないとして、だからといって、かわりに対談のホステスになれなんて、そりゃ、無理だよお。だって下手だもん。褒められたことないもん。しかも週刊誌だぞ。毎週一人の割合で、苦手なインタビューなんかしたら、頭も身体も壊れちゃうぞ。がりがりに痩せちゃうかもしれない。痩せるのはありがたいけれど、きっととんでもない失敗をやらかして、まわりに迷惑をかけるに決まっている。

「でも、待てよ」

ふと、ひらめいたものがありました。「やってみないか」と言い出したのは、文春のほうです。もし私が失敗したり、面白い記事にならなかったりしたら、私を起用した責任上、なんとかしなきゃと思うだろう。面白い記事にするために、私を鍛えようと躍起になるだろう。インタビューのコツを教えてくれるかもしれない。

こちらとしても、教えられて損はありません。なにせ週刊文春は週刊誌の中でもいちばんの売れ行きを誇っていました。勢いのある職場で、勢いのあるスタッフと仕事をすることは決してマイナスにはならないはずだ。鍛えられてもうまくいかなかったら、クビになるだけのことさ。

開き直った私は数日後、編集長に返答しました。

「やってみます。よろしくお願いします！」

しかし、いざ引き受けてみると、それはそれで不安は募るばかりです。

「ああ、なんで承諾しちゃったんだろう。できないくせに」

ウジウジとそんなことを考えているせいか、ときどき夜中に目が覚めて眠れなくなりました。ゲストの前でなんの質問も浮かばず、泣きそうになっている夢をみたことは何度もあります。金縛りというのは、こういうものなのかという経験をしたのもその頃です。

ある夜、あまりの重さに耐えかねて意識が戻りました。何かが私の身体にのしかかっています。気がつくと、仰向けになっている私の上に乗っているのは、大柄な男。ちょっと重いからどいてくださいよ。こんなところで何やってるんですか。その重い男の身体から逃れようともがきつつ、ふと顔を見たら、アーノルド・シュワルツェネッガーではありませんか。あら、やだ。案外いい男じゃないの。それまで格別に彼のファンであったわけでもないのに、その金縛り……というか夢というか、色っぽいことはなにもないながらほのかにポッとした摩訶不思議な夜中の経験以来、私はシュワちゃんのファンになっちゃった。

関係ない話をいたしました。えーと……。

そもそも私がそれまでに抱いていた「有能なインタビュアー」というものは、相手が答えに窮するほどの鋭い質問をビシバシ投げかけて、あくまでも冷静に、みごとな切り返しができるような人をイメージしていましたから、「そりゃ、私には無理だ」と思ったのです。利口そうな顔（顔だけは賢そうだと子供の頃から言われ続けてきた）で、報道番組に出てはいましたが、実は「常識も教養も知識も漢字もことわざも、なにも知らない娘」だと、家族の間では定評の「物知らず」だったのです。

「お姉ちゃん、よくあんな、十年前から知ってましたみたいなシレッとした顔で、テレビに出ているよね」

弟に詐欺師呼ばわりされたこともあります。悔しいけれど、図星だと思いました。

こんなに物を知らない私が週刊誌上で、各界の専門家、各界の成功者を相手に、何を聞き出せるというのだろう。

「やっぱり自信がありません。デーブ・スペクターさんのような鋭い突っ込みなんて、私にはできません」

週刊文春の対談ページの前任者が、デーブ・スペクターさんでした。彼の「TOKYO裁判」という連載対談は、その切り込み方が絶妙で、読者の反響も大きく、業界でも評判の面白い記事だったのですが、あまりに鋭く突っ込み過ぎたせいか、ゲストに敬遠されてアポイントを取るのが難しくなったことも、終了した一因だと聞いています。でも私は、デーブさんのことを「お見事！」と敬服していたので、あのような対談を望まれているとしたら、とても私には務まらないと思い、編集長に直訴したのです。すると編集長は笑っておっしゃいました。

「アガワさんは、アガワさんらしい対談にしてくれれば、それでいいですよ」

アガワらしい対談？　それって、なによ。

また家に帰って考えました。考えるうちに、あることを思い出したのです。

2　面白そうに聞く

週刊文春の対談を始める以前、ある季刊誌で、「今、輝いているオトコたち」を相手にインタビューする仕事を引き受けたことがあります。季刊誌なので年に四人。三年続けて合計十二人の、「輝けるオトコたち」に話を聞くという、期間限定つきの企画だったと記憶しています。その二回目のゲストが、城山三郎さんでした。

おりしも城山さんが翻訳された『ビジネスマンの父より息子への30通の手紙』（新潮文庫）という本がベストセラーを記録して、その話題を中心にお話を伺う予定でした。初対

面だった城山さんにご挨拶をすませると、私はさっそく、

「ご本、とても面白かったです」

と申し上げました。遅読の私にしては珍しく読了して、本当に面白かったと感動していたからです。

その本は、ビジネスマンとして成功を遂げたカナダ人の企業家が、これから社会でもまれていく息子に宛てて、ときに厳しく、ときに愛情深く、あるいはウイットを交えて、仕事や人生についてのさまざまなアドバイスを綴ったものでした。「面白かった」と発言した私に城山さんはニッコリ微笑みかけて、シワシワの顔でおっしゃいました。

「そう？　どこが？」

え、どこがって言われても……。読んだのは事実ですが、的外れなところを指摘したら、ご機嫌を害されるかもしれない。どこにしよう。なんと答えよう。

「えーと。これは父親が息子に宛てた手紙というかたちになっていますが、女の私が読んでも納得できる教訓がたくさんありました。ビジネスマン向けアドバイスというよりは、人間としてどう生きるかという根源的に大切なことがたくさん鏤《ちりば》められていましたし。だからこれはビジネスマンだけでなく、女性でも子供でも、誰が読んでも面白い本だと思い

ます」

「そう。あとは？　あとは？」

あとは？　もっと言わなきゃいけないの？

「あと、そうですね。最後のエピソードが好きでした。むさぼらない。どんなにお腹が空いていても、人を押しのけて料理を取ろうとするなんてみっともない。人生も同じだ。どんなに欲しいと思っても、まわりを押しのけて手に入れようなんて下品な真似をしてはいけないという、あのエピソードが心に残りました」

するとと城山さんは、

「いい読者だねえ」

とニコニコなさる。なんだかもっとニコニコしていただきたくなって、「あとはですねえ。あの章の……」と話しているうちに、気づきました。そうだそうだ、今日は私が聞き手だったんだ。喋っている場合じゃない。気持を切り替えて、

「城山さんにもご子息がいらっしゃると伺っておりますが、父親としてなにかアドバイスなさったことはありますか」

質問すると、

「ウチは親子関係が淡泊でねえ。あんまりアドバイスなんてことは……。お宅は？」

ウチですか？　ウチはアドバイスどころか、子供のやることなすことが父は気に入らないらしく、親子喧嘩が絶えませんよ。

いかんいかん。また私が喋り出しちゃったよ。

「では、お嬢様には？　さすがにお嬢様のことは気がかりなのでは？」

水を向けると城山さんはふっと笑って、

「お嬢様ともわりに淡泊なものでね。あるとき、仕事の帰りにタクシーに乗ったら、渋滞に巻き込まれて。運転手さんが気遣ってくれて、『お客さん、急ぐの？』って聞くから、『いや、それほどのことでもないよ』って答えたら、『なんの用事があるの？』って。だから『実は娘の結婚式でね』って言ったら、怒られちゃって。そりゃ急がなきゃダメだよ、お嬢さんの結婚式だろって、叱られたことがある」

そんなエピソードを話してくださったあと、さりげなく、

「お宅は大変でしょ、お父さん」

ここでやめりゃいいのに、私はつい、待ってました、よくぞ聞いてくださいましたとばかりに、爆発してしまったのです。

「そうなんです、大変なんです。ウチの父はねえ……」

どれほど父の干渉が激しいか。大学生時代、テニス同好会の先輩である男の人から電話があったというだけで、「付き合ってるのか」と詰問され、「ただの先輩です」と答えれば、

「いくつ上だ」

「二つ」

「近すぎる！」

お付き合いもしていない、まして結婚を約束したわけでもない罪なき先輩にまで敵意を抱き、またあるときは、私が熱中症でお腹を壊して唸って寝ていたら、ふすまの外で母に向かい、

「産婦人科を呼べ、産婦人科だ！」

意味がわからず、腹痛が治まったのち、「あれはどういう意味ですか」と父に抗議すると、フンと一つ鼻で笑って、

「女が、腹が痛いといやあ、相場は決まってる」

と一言。私はつい、ああ、そうなんだと納得してしまいました、なんて話をすると、

「可笑しいねえ、お宅は。それから？」

それからって促されたら、そりゃもう、涙なくして語れない阿川家の悲劇は山のようにございます。どんどん話したくなってしまいます。

こうして二時間の対談を終えてみれば、いったい私は城山さんにどれほど質問したことでしょう。ニコニコ城山さんが部屋を出て行かれたあと、その雑誌の編集長が悲しそうな顔で私におっしゃいましたっけ。

「今日はアガワさん、一人で喋っていましたね」

城山三郎さんを目指す

その日のことを、週刊文春の編集長に「アガワさんらしい対談に」と言われたあと、思い出したのです。

なぜ私は城山さんの前で、あんなにぺらぺら喋り続けてしまったのか。間違いなくインタビュアーとして失格に値します。でも、いつもそうだとは限りません。現に城山さんの前の回、その連載対談の第一回に登場いただいたのは開高健さんで、茅ヶ崎のご自宅に到着し、「やあ、遠くまでようこそ」と玄関口で出迎えられた瞬間から、二時間後にお暇《いとま》を告げるまで、みごとな開高さんの独演会。ほとんど私は頷いていただけでした。あらまあ、インタビューってラクでいいわとホッとして終わった、その次のゲストが城山さんだったというわけです。

編集長が、「今日はアガワさん、一人で喋っていましたね」とおっしゃった言葉の裏には、「このあいだは、ほとんど喋らなかったくせに」という皮肉が含まれていたのでしょう。どちらにしても、インタビュアーとして優秀とは言えません。開高さんの前では言われっぱなし。城山さんのときは喋りっぱなし。どうしてこんなことになったのか。それは、開高さんの話し上手に対し、城山さんが聞き上手だったからだということに、あとになって気づきました。

でも城山さんのどこが、聞き上手なのだろう。

城山さんは私の前で、鋭い突っ込みや、こちらがドキッとするような質問はなさいませんでした。ただひたすら、「そう」「それで?」「面白いねえ」「どうして?」「それから?」と、ほんの一言を挟むだけで、あとはニコニコ楽しそうに、私の世にもくだらない家庭内の愚痴を、穏やかな温かい表情で聞き続けてくださったのです。

「そうか!」

私は合点しました。聞き上手というのは、必ずしもデーブ・スペクターさんのようにビシバシ切り込んでいくことだけではないのかもしれない。相手が「この人に語りたい」と思うような聞き手になればいいのではないか。こんなに自分の話を面白そうに聞いてくれるなら、もっと話しちゃおうかな。あの話もしちゃおうかな。そういう聞き手になろう。

鋭い質問を用意することも、相手の言葉の隙を突っ込んでいくことも、どうやら私にはできそうにありません。私にできることがあるとすれば、城山さんほど穏やかな優しい性格にはなれないけれど、本当は知識も教養も豊富なのにそんな気配をおくびにも出さぬ「能ある鷹」の城山さんとは比べものにならないけれど、でもとりあえず、面白そうに相手の話を聞くことぐらいはできるはずだ。いや、それしか私に打つ手はないと思ったのです。

物知らずの私がかろうじて見出した逃げの手段として、「城山さんを目指す」という目標が生まれたとき、ようやく本番に臨むかすかな勇気が湧いてきました。

3　メールと会話は違う

テレビの仕事を始めた頃、「我々のようなメディアの仕事は、インタビューに始まって、インタビューに終わるのですよ」と、ある新聞記者の方に教えられ、なるほどそうかと合点したことがあります。

よく料理人が「玉子焼きに始まって玉子焼きに終わる」と言いますが、それと同じことだと思いました。料理人が修業の最初に作るのは玉子焼きだけれど、最後まで完璧な玉子焼きを作ることは、なかなかできるものではない、それほどに玉子焼きは奥が深いという意味でしょう。

私もテレビの仕事に関わって、最初に挑戦させられたのが、天気予報の情報を聞くための気象協会への電話インタビュー。少し仕事に慣れた頃、街頭インタビューに出かけていきました。

見ず知らずの人の足を止めて質問をする。あるいは顔の見えない相手から必要な情報を引き出す。最初の頃は恥ずかしくて怖くて、声が震えたりしたものです。

「あのー、お急ぎの所、恐れ入りますが」

「お急ぎです！」

間髪入れず、断られたこともあります。

「申し訳ありません。実は私、ＴＢＳの『情報デスクＴｏｄａｙ』という番組のアガワと申しますが、あ、月曜日から木曜日まで毎晩、十一時半過ぎに始まる番組なんですけどね、メインキャスターは秋元秀雄さんとおっしゃいまして、で、このたび番組で……」

自己紹介している間に、相手がいなくなったこともあります。そんな前置きは省いて、本題から始めなさい。ディレクターに叱られて、それは相手に失礼ではないかと躊躇しつつ、歩いている人の前に立ちはだかり、行く道を阻み、

「失礼ですが、あの、あなたは自分の会社が倒産の危機に見舞われていると思ったことはありますか」

「本当に失礼だ！」

案の定、怒られます。でもそうやって失礼を重ねていると、中には親切な方がいらっしゃるもので、辛抱強くマイクに向かって語ってくださいました。結局、百人ぐらいにマイクを向けて、断られたり、答えていただけたり。答えていただいたうちの、ほんの二、三人の言葉が番組で採用されました。

いったい私の苦労はなんだったんだ。そう思うこともありましたが、そうやって質問を続けていくと確実に、見ず知らずの人に質問する訓練にはなります。そして、嫌がられて

もめげない図々しさが少しずつ身についていきます。それでも、恥ずかしかったけれど。

インタビューは「会話」

でも、きっと私のような職業についていない人だって、多かれ少なかれ同じような場面に遭遇することがあるはずです。インタビューというから専門職のように聞こえるかもしれませんが、つまりは質疑応答、もっと日常的な言葉を使えば、「会話」ということですからね。

職場で上司や部下と会議をするとき、仕事帰りに居酒屋で同僚の愚痴を聞くとき、取引先に出向いて商談を成立させるとき、家に帰って家族の悩みごとを聞くとき、奥さんのお喋りに応えるとき、子供の心の内を探るとき、新しい友達を作るとき、好きな人にアタックするとき、ご近所とお付き合いをするとき、お母さん同士が交流を深めるときなど、人間はあらゆる場面でインタビューをしなければならない。つまり人は生きている限り、誰しもが、「インタビュー」に始まって「インタビュー」に終わると言っても過言ではないのです。

もっとも近頃は、朝起きてから一言も他人と口を利くことなく寝床に入ることができるようになってきました。買い物に行って、「へい、いらっしゃい。今日は何にする？」なんて八百屋のおやじさんに声を掛けられることなく、世間話や時候の挨拶をする手間も要らず、ただ欲しい物を自分の籠に入れ、レジへ行って「いらっしゃいませ」と言われようが「ありがとうございます」と送り出されようが、黙って頷いているだけで家に帰ってくることができる。自分が声を発しなくても「カードをお取りください」、「駐車券をお入れください」と、機械が愛想良く喋ってくれるので、寂しいと思うこともない。

世の中、便利になったものです。他人とのコミュニケーションのために頭を使わなければならない場面が、どんどん減っているのです。聞くところによると、オフィスで隣の席の人とも、メールでやりとりする人が増えているんですってね。

おまえら、そんなに声を出すのが億劫なんかい!?

失礼しました。つい、感情的になってしまいました。

でも私、思うのですが、メールの会話と実際の会話はちょっと、違うような気がするのです。

「今度の企画書の作成が、かなり遅れ気味なので、早急にとりまとめて部長のところへ提出してください。私はもう一つの案件のまとめをしなければならないので忙しい。悪しからず」

　なにを偉そうに。遅れ気味になったのは、アンタがぐずぐずして決めなかったからじゃないの。早急にって、その言い方、なんなのよ。悪しからずって、ぜんぜん悪そうな態度、伝わってこないもんね。

　メールを受け取った側は、かすかにカチンとくるでしょう。そのカチン気分で返信をするから、返信もカチンカチン。

「了解。でも早急にと言われても、私にも仕事の段取りというものがあります。いつまでに提出しろという意味なのか、はっきりしてください」

　このままやりとりをしていたら、いずれバトルになることは間違いない。ところがこれを、じかに顔を見合わせながら話し合ったら、どういうことになるでしょう。

「あの、今回の企画書の作成が、かなり遅れ気味になっちゃって」

　と、いとも悲しそうな顔で相手に伝える。焦ってもいるから、額に汗が滲んでいるかもしれない。語りかけられた側はその顔を見て、あら、これは相当に困っているんだなとちょっと不憫になるでしょう。

「悪いんだけど、これを、なるべく早くとりまとめて、部長のところへ提出してもらえませんか。私、実はもう一つの案件をまとめなきゃいけなくて……、悪しからず！」

　両手を合わせ、そんな泣きそうな可愛い顔で頭を下げられちゃ、断るわけにはいきません。そこまで切羽詰まっているのならしかたない。遅れたのはその人のせいだとわかっているけれど、ここは一肌脱いでやるか。

　こんな具合に、表情や動作とともに言葉が伝わってくるのと、画面の文字だけの場合とでは、ずいぶん印象が違うはずです。

「ねえ、あたしのこと、どう思ってる？」

　恋人に甘えた口調で尋ねると、恋人は「あたし」の身体をギュッと抱きしめながら、

「別に」と応えてニッコリ笑う。

　ところがこのやりとりをメールでいたします。

「ねえ、あたしのこと、どう思ってる？」

「別に」

　ちょいと、その愛想のない返事のしかたはなんなのさ。と、「あたし」は絡み始めるかもしれません。特にオンナは相手の些細な一言に、絡みたくなる性癖があります。オンナっていうか、私かしら。

そういう誤解が生まれないようにするために、今どきのメールには、絵文字がつけられるようになったと聞きます。つまり、「別に」の後ろに、笑顔の絵文字をくっつけておけば、ぶっきらぼうには受け取られないだろうという配慮です。しかし、大の大人が、しかも大人の男が、メールの文末にいちいちハートマークや照れ顔なんぞをつけるのは、どうなんでしょう。と、こういうことに文句をつけたら、男友達がこの頃ぱったり絵文字をつけてこなくなりました。そうすると、たちまち無愛想なメールに感じられるのは、これまた、どうしたことでしょう。

なんの話をしていたんでしたっけ。あ、そうだ。日常生活における「インタビュー」の話でした。

お見合いが予行演習!?

そういう意味では私、若い頃にたくさんお見合いをしてよかったと思っています。ご承知の通り、一度もゴールインに繋がったことはないのですけれど、あの「面会ごっこ」は決して無駄ではなかったのだと、今の仕事をしていると、つくづく感じます。あのときのあまたの初対面会話体験が、今のインタビューの仕事の予行演習になっていたのではないかと思うのです。

「ご趣味は？」

「ああ、読書です」

「まあ、お偉いんですね。どんな本がお好きなんですか」

「偉いと言われるほどのものは読んでいませんが、傾向としては推理小説が好きですね」

「ふうん。それは、外国の？　それとも日本の作家の？」

もしかして神様が私にたくさんのお見合いのチャンスを与えてくださった目的は、私に結婚しろという意味ではなかったのかもしれないと、今さらながらに思います。

それはさておき、今の若い男女の皆様は、あまりお見合いをすることはないらしい。そのかわりに合コンがあるんですよね。合コンこそ、インタビューの絶好の訓練場と言えるでしょう。しかもゲストは複数いる。同じ質問を、目の前の三人に向けて投げてみると、その答え方の違いに、それぞれの人柄が表れて面白いかもしれません。どういう聞き方をすると、どんな答えが返ってくるか。どういう言葉遣いをするか。どんな仕草をくっつけるか。反対に、先方はどんな質問をしてくるか。是非ともじっくり観察していただきたいものです。

めでたくカップルが成立しなくても、結局、あの合コン、無駄だったのではないかと落ち込んでも、いえいえ、いずれ、その経験が役に立つときは巡ってきますって、私のように。あら、そんなの、あんまり嬉しくないって?

4　自分の話を聞いてほしくない人はいない

「僕は無口です」とか「私、喋るのが得意じゃないんです」とか、早々に宣言する人は世の中にたくさんいます。でも私はそういう言葉をたやすく信じないことにしています。流暢に言いたい言葉が出てこない人はたしかにいるかもしれないけれど、自分の話をまったく聞いてもらいたくないと思っている人は、そうはいないでしょう。

経済小説を主に書かれる作家の高任和夫さんの作品に『転職』という一冊があります。これは小説ではなく、自ら一流商社マンとして五十歳までサラリーマン生活を送っていた高任さんが、物書き一本で生きて行こうと決心して会社を辞めたときの経験をもとに、退職、リストラ、失職などによって生活が激変した男たちや妻たちへの取材をまとめた、いわばルポエッセイです。

あることがきっかけで私は高任さんと知り合い、その後、高任さんからこの本が送られてきました。しかしタイトルを見て、どうも難しい経済本のような気配を感じ、失礼ながら、しばらくページをめくらないままにしていたのですが、あるときふと本を開いたら、あまりの面白さに読むのを止められなくなりました。ときどき吹き出したりするほど面白いのです。何が面白いといって、男と女にこういう種類のギャップがあったとは、知らなかったからです。

夫があるとき会社を辞めて、毎日家で過ごすようになる。するとまもなく妻の具合が悪くなる。じんましんが出たり食欲が落ちたり風邪を引きやすくなったり。原因がわからない。医者に診せると、

「ああ、これはストレスですね」

「なんのストレスでしょう」

「だんなさんが家にいるストレスです」

「それはひどいじゃないか」と夫は憤慨する。しかし、妻にしてみれば、それまで四十年近く、朝早くから夜遅くまで夫は家にいなかったのだ。家で家事をこなしつつ、妻は好き

な時間に友達と長電話をし、好きな時間に好きなテレビを見ることができた。食事とて、三食決まった時間に作る必要はなく、夫の帰りが遅い日は、夜、ゆっくり外出することもあった。ところが、夫が退職した途端、生活のリズムが完全に狂い出した。友達に電話をすると「まだ話しているのか」と言いたげな目つきで横を通り過ぎる夫が気になって、早々に切らなければならないし、テレビは夫が占拠して、自分の見たい番組を見ることはできない。出かけようとすると、夫が玄関までついてきて、

「また出かけるのか？　今日は誰と会うんだ？　何時に帰ってくる？　飯はどうすればいいんだ」

と、いちいちうるさく聞いてくる。

「そういういろいろなストレスが、身体に表れたのでしょう」と、医者に言われたことを妻は夫に告げる。

しかし夫にも、言い分がある。会社を辞めて初めて知ったことがいくつもあった。その最たるものは、妻が毎日のように外出していたという事実だ。もちろん、外出していけないとは言っていない。しかし、するにしても週に二日ぐらいのものだろうと、長年、信じていたのである。週のほとんどは、健気に家を守って家族の帰りを待っているのが妻とい

うものだと信じていた。が、裏切られた。

そんな夫婦の取材をした高任さんが、我が身に重ねてつくづく考えます。

ある日、高任さんは、じっと家にいても妻に迷惑だろうと気を遣い、散歩に出かけることにしました。道の角で近所の奥さん方がお喋りに興じています。楽しそうだなあ。その様子を横目にして、高任さんはさらに歩き、小一時間ほどかけて周辺を散策し、また先程の角に戻ってみると、同じ顔ぶれの奥さんがたが、まだお喋りしているのを発見するのです。

「驚いたもんだね。どうして女はあんなにいつまでも話題が尽きないんだ。しかもキャッキャキャッキャと楽しそうに。あれだけ喋ればストレスなんか溜まらないだろうなあ。女がうらやましいよ」

家に帰って奥様にそう告げると、

「じゃあ、男だってお喋りすればいいじゃないですか」

その言葉に高任さんは驚いたそうです。急に喋れと言われても、男にそんな真似はできない。なにしろ男は組織の中で、「できるだけ喋るな」という教育を長年にわたって叩き込まれてきたんだ。すると奥様が、

「でも男にはお酒があるじゃないですか。居酒屋へ行ったり、きれいなホステスさんのいるバーに行ったり。あそこでストレス発散していらっしゃるんでしょ」

そこが誤解のおもとだと、高任さんは唸ります。男の酒は女のお喋りほど楽しいものではない。部下の愚痴を聞き、上司をおだて、左遷された同僚を慰め、次の仕事への根回しをする。ときに会社の接待で、ときに戦略を練るために、杯を酌み交わすのだ。そうそう脳天気に酔っ払っているわけではない……などということを高任さんは書いていらっしゃいます。

なーに言ってるんだか。奥様同様、高任さんの言葉を一〇〇％信じる気にはなれませんけれど、それでも高任さんの嘆きの声は切迫感に溢れていて、私はおおいに笑ってしまいました。そうか、男は元来、「余計なことは喋るな」と叩き込まれてきたのか。知らなかった。そう言えば、口の硬い男ほど、信頼されると言うものねえ。なんとお気の毒なことか。

その点、女は組織に入っても、やっかいな仕事に直面しても、多少、場所や相手を選ぶことはあるにせよ、完全に「口をつぐもう」と思うことはめったにない。やっかいな仕事に直面するからこそ、誰かに吐いて、憂さを晴らすのです。そうでもしなきゃ、やっていられませんものね。

「あんなに喋ったところ初めて見た」

高任さんの本により、喋ることについて男と女の置かれている環境がこれほどに違うことを知りました。しかし、「無口」な男とて、場所や相手によっては、喋る準備が整っているはずです。現に私の友達で、

「この人、結婚前はものすごく無口だと思ってたのに、結婚したら、家でよく喋るのよ。私よりこの人のほうが延々と喋ってるぐらい。こんな人だとは知らなかった、騙された」

と半ば笑いながら夫の話をする主婦がいます。

私自身、何度も脅かされたものです。

「今度、アガワさんがインタビューする相手、ものすごく口が重いって評判だから、けっこう難儀するかもよ」

そんなことを聞かされると、私はそのインタビューをキャンセルして家に帰りたくなります。でもしかたなく、いや、しかたなさそうな顔をして臨んだら、きっとますます喋ってくれないだろうから、ほどよく愛想を振りまいて、恐る恐る寄り添っていくうちに、

「珍しいね、あの人が、あんなに喋ったところは初めて見た」

近くで見学していた編集者仲間にそういう褒められ方をしたときは、跳び上がりたくなるほどうれしいものです。もしかして、「そんなに喋ることが得意ではないけれど、こいつには、喋ってみてもいいかな」と私に対してゲストが思ってくださったとしたら、そんな光栄なことはありません。もちろん、心を許してくださるゲストばかりではないですけれど、やはり私が最終的に目指すところはどこかと問われれば、とりあえずゲストに「アンタの顔を見ていたら、いつのまにか、喋っちゃったよ。あー、楽しかった」と嬉しそうに帰っていただくことです。

5　質問の柱は三本

こんなに長く続けていても、毎回、インタビューの直前は怖くてしかたがありません。そう言うと、「また言ってるよ」と長い付き合いとなる週刊文春対談チームの面々がせせら笑うのですが、本人としては、そうなんです。最近でこそ、「今日はなんとかなるだろう」と思う日もありますが、それでも「慣れる」ということはありません。むしろ、「慣れたな」と思ったとたん、落とし穴にはまります。だからいつも、ゲストにお会いする前は、初心者気分です。

相手が途中で不機嫌になったらどうしよう。自分の準備の悪さがバレて、つじつまの合わない事態が起きたらどうしよう。そして何より、実のある話を聞き出すことができないまま終わり、お客様（読者や視聴者）に面白いと思ってもらえない結果が出たら、すべては聞き手である私の責任だ。どうしよう、あー、どうしよう。うるさく騒ぐので、最近は、仕事仲間が誰も同情してくれなくなりました。

でも実際、インタビュー初心者時代は、もっと緊張していたことを思い出します。今よりある意味で真面目だったので、それらの不安を取り除くために、事前にインタビューのシミュレーションをして、質問項目をレポート用紙に書き並べて本番に臨んだものです。

レポート用紙に私は横書きで、一番から二十番ぐらいまでの質問を綴ります。たとえば企業の社長にインタビューする場合は、第一項目に、

「社長就任二年目を迎えられると伺っておりますが、社長の椅子の座り心地はいかがですか」

その答えをいただいたら、次はどういう展開にしようかな。第二項目。

「社長に就任なさったあと、変わられたことはありますか」

そうすれば、きっと社内の変革の話などをしてくださるだろう。続いて三つ目は、

「御社は来年で創立五十年目を迎えると聞いておりますが、その歴史を振り返っていただけますか」

まあ、相手が企業人の場合は、そういう堅い質問を並べるのが通例でした。いずれにしても、そんな要領で自分なりに対談の流れを想定し、きっとこんな答えが返ってくるだろうから、次の質問はこんな具合にしておこうと書き留めて、そのメモに沿ってインタビューを進めていけば、なんとか無事に対談は終わるだろうと思っていたのです。

さて当日。私は広々とした社長室に通されて、大きなソファに腰を下ろし、膝にレポート用紙を乗せて一礼します。

「よろしくお願いいたします」

社長さんがにこやかに斜向かいのソファに座っていらっしゃる。

「では、まず……」レポート用紙のいちばん上の質問を投げかけます。すると、

「ああ、社長の椅子というものは、なかなか慣れないものですなあ。だいいち僕には大き

すぎてねえ」

ちゃんと答えてくださっている。しかもお顔はニコニコ。ああ、よかった。私は安堵します。安堵しながら、社長の目を盗んで、ときどきチラチラとレポート用紙に視線を戻します。次の質問はなんだっけ。そうか、これだったか。でも三番目の質問を先にしちゃったほうがいいかしら。どうかな。どうしよう。

社長がお話ししてくださっている間、「はあ」「ほうほう」「ふーん」「なるほど」などと、小さく相づちを打ちながら、頭の中は大混乱です。ああ、そろそろ社長の話が終わりそうな気配。どうしよう、次の質問だ、次の質問だよ。どうする、どうする。そして決心し、

「ええと、就任後、変わられたことは、ありますか」

お、社長が黙っちゃったよ。考えてるぞ。この質問は撤回するか。次の質問をしたほうがいいかな。レポート用紙をまた覗く。

「変わったことねえ。僕自身は何もないですが、会社としては大きな改革をいたしましてね。しかしそれは僕が発案したことではなく、先代の社長時代からの計画だったものでね」

お、話がどんどん広がっているぞ。いいぞいいぞ。となると、ここで創立五十年の話は

しにくいかな。いっそ、前社長の話を伺ったほうがいいのかな。その話はもっとあとでするつもりだったんだけどな。どうしよう。予定変更しようかな。私はそこでまたレポート用紙をチラチラ。

そんな具合に、次の質問のことばかりを考えていると、どうなるか。肝心の社長の話はほとんど耳に入ってこないのです。というか、ぜんぜん聞いていないに等しい。お愛想程度にときどき相づちは打っているものの、頭は上の空。とにかく相手が自分の質問に応えてくれて、言葉を発してくれている事実だけを確認すると、それだけで安心し、中身について深く理解しようとしていない。

そういう質問のしかたを続けていると、相手の話を聞いていないから、話に連続性が生まれません。レポート用紙に書いた自分の質問項目にとらわれて、せっかく社長さんが、「今だから社長なんて威張っていますけれど、新入社員の頃は、何もわからなくてね。本当に駄目なサラリーマンだったんですよ、僕。あのときの失敗をよく知ってるヤツらは、『なんでお前が社長になったの？』なんて首傾げてますよ」

なんて魅力的な本音の話をしてくださっているのに、私は「はあはあ」と答えたのち、「で、ご趣味はなんですか」

レポート用紙の次の質問を投げかける。優しい社長さんはちょっとびっくりするけれど、
「趣味ですか。趣味は、山に登ることですねえ。このあいだも白神山地に行ってきました」

すると私は一つ頷いてから、

「社長になられて、いちばん苦手なお仕事はなんですか」

また、社長職に話題を戻す。だってレポート用紙に書いておいたのに、さっき飛ばして聞きそびれてしまったんですもの。いっぽうの社長は、趣味のことを聞かれたのでプライベートな話になったんだなと思いきや、私のせいで、また仕事のことに思考を戻すはめとなるのですね。

こんな連続性のないインタビューをされたら、聞かれた側はどんな気持になるでしょう。

「質問は一つだけ用意しなさい」

同じ頃、たまたま開いた先輩アナウンサーの著書のなかに、面白い項目を見つけました。

「インタビューするときは、質問を一つだけ用意して、出かけなさい」

そんなこと、できるわけないでしょ。と、私は笑い飛ばしました。なにしろ当時の私は

二十項目のシミュレーション質問をレポート用紙に書き留めてからインタビューに臨んでいたのです。質問を一つしか用意しないで出かけたら、一つ質問して、一つ答えが返ってきた時点で、「ありがとうございました。ではさようなら」と帰ってこなければならない。そんな怖いことができるものですか。

でもその先輩は、こういう解説を加えていらっしゃいました。

「もし一つしか質問を用意していなかったら、当然、次の質問をその場で考えなければならない。次の質問を見つけるためのヒントはどこに隠れているだろう。隠れているとすれば、一つ目の質問に応えている相手の、答えのなかである。そうなれば、質問者は本気で相手の話を聞かざるを得ない。そして、本気で相手の話を聞けば、必ずその答えのなかから、次の質問が見つかるはずである」

そうか……。まさに目から鱗の驚きでした。質問をする。答えが返ってくる。その答えのなかの何かに疑問を持って、次の質問をする。また答えが返ってくる。その答えを聞いて、次の質問をする。まさにチェーンのようなやりとりを続けてインタビューを進めていくことが大事なのだと教えられたのです。

たとえばゲストが、「今は、それほど悩むことはなくなりました」と答えたとします。

たちまち質問が浮かんできませんか。

「今はそれほど悩まないということは、前はよく悩んでいらしたのですか？　どうして悩まなくなったのですか？　なにかきっかけがあったのですか？　前はどんなことで悩んでいらしたのですか？」

いくらでも浮かんでくるでしょう。語る側にしても、「今は、それほど悩むことはなくなりました」と口に出しながら、頭のなかで、いろいろな思いが蘇っているはずです。

「ああ、そういえば最近は悩まなくなったなあ。どうしてだろう。でも昔はつらかった。あの頃、あんなことがあったものなあ。俺って強くなったのかなあ。あの人のアドバイスが自分を強くしてくれたんだなあ……。そういえば、あの人は元気かなあ。面白い人だったなあ」

そういう気分に浸っている相手に、唐突に、「好きな色はなんですか」と質問したら、きっと相手の頭は混乱するでしょう。そっちへ行くんかい？　ちょっと待ってくれよ。せっかく俺は、「つらかった時代」について思い出していたのに。

でも、直前の答えに関連する質問が次に投げかけられたなら、同じ抽斗のテーマがさらにじわじわ広がっていくかもしれません。そして、聞かれなければ思い出す機会もなかった遠い過去のできごとが、表面にポコッと浮かんでくることもあるのです。

だからといって、「質問は一つ」の教えをすぐさま取り入れて、実行したわけではありません。徐々に、徐々に。二十項目を十項目に減らし、十項目を五項目に減らし、レポート用紙を膝に乗せても、なるべく覗き見しないよう努力して、そのうち、メモ用紙すら作らなくなりました。

でもさすがに「質問を一つ」しか用意していかないのは心配なので、今はだいたい頭の中に三本ぐらいの柱を立てるようにしています。資料や作品に目を通し、その人の来し方や考え方や、人生の転換期や人間関係などを調べ、「この人にはこの時代のことを伺ったら面白いかな」とか、「なぜいつも大声で喋るのだろうか」とか「子供の頃、世話になったおばあちゃんの影響が大きいのではないか」とか、大ざっぱな疑問を抱き、その結果、「デビュー前の放浪時代」と「大声の秘密」と「おばあちゃん」という三つのテーマに絞ります。

でもそれは、あくまでもこちらの思惑であって、どうなるかは会ってみなければわかりません。おばあちゃんの影響が強いのかと思っていたら、実は小さい頃に別れて暮らすようになったお父さんとの再会や、その教えが今のその人に大きな刺激を与えていたことがわかったりすることもあります。そんなときは、当初の予定を即座に変更し、お父さんの話を聞いたのち、今度は次の柱をぶつけてみます。

質問を一つに絞るにしても三つの柱を立てるにしても、つまりはできるだけ相手の話に集中しなさいという教えです。そのために、さきほど申し上げたように、いつの頃からか、メモも一切持たなくなりました。政治や経済などのややこしい話をするとき、あるいは外国映画の監督や他の出演者や配役の名前が覚えられないときなどは、小さいメモや映画のパンフレットなどを目の前に置いておくことはありますが、それ以外のときはできるだけメモを用意しないことにしています。メモが目の前にあると、どうしてもそちらに気持が引きずられてしまいます。あれ、他にどんな質問するんだったっけ？　あと、何を聞いていなかったかしら。

チラチラとメモに目を走らせる落ち着きのない聞き手が前にいると、答えるゲストも落ち着かなくなります。「この人、ちゃんと私の話を聞いているのかしら」と不安が募ってくるでしょう。一対一の言葉のやりとりは、案外、繊細なものです。目の動かし方一つ、息の吐き方一つで、「もしかして、自分との会話を楽しんでいないのかな」と疑心暗鬼になります。そういう不信感を相手に抱かせないためにも、私はできるだけ余計なものを排除して、会話に集中することを心がけます。質問の内容はさておき、「あなたの話をしっかり聞いていますよ」という態度で臨み、きちんと誠意を示すことが、まずはインタビューの基本だと思うからです。

6 「あれ？」と思ったことを聞く

週刊文春の連載の場合、対談相手の資料は担当編集者が厳選して集めてくれます。その人が過去にさまざまな雑誌や新聞で受けたインタビュー記事を始め、小説家の場合はその著作、俳優ならば出演作品のＤＶＤや、ときには芝居や試写会に出かけることもあります。あまりにもゲストの資料が多いときは、担当者が一生懸命、選び抜いて、大事な資料だけを届けてくれるのですが、それでも膨大になることが多々あります。

「まさか、これを一週間で読破しろと言うの？」と驚愕したことは何度もあります。

でも、さまざまな理由により……、他の仕事が忙しかったり、他の原稿がなかなか書き終わらなかったり、あるいは資料を抱いて寝てしまったり。さまざまな理由や言い訳がありますが、とにかくこれはもう、資料のすべてを読んでいる時間がないという切迫期間に突入したとき、どう乗り切るか。全部の資料に目を通す余裕がないのなら、どれかを捨てなければなりません。優先順位を決めよう。となると、私はだいたい、その人が自分で書いた著作や、本人が演じた映画や、演奏している音楽、ないしその映像などを優先するようにしています。もちろん、最低限のゲストのプロフィールは頭に入れておく必要があるので、その半生がわかるような過去のインタビュー記事は不可欠ですが、その次に大事なのは、実際に本人が手がけたものだと思っています。

なぜならば、本人にとって、あちこちの媒体で受けたインタビューよりも、なんといっても自分が作ったものがどう評価されるかのほうが、気になるに決まっています。そしてそういう作品に目を通してみると、意外なものを発見することがあるのです。

ある作家の小説を、三冊読んでみて、「あれ、この人の作品にはいつも、気の強い女性ばっかり出てくるな」ということに気がつく。気の強いタイプの女性が好きなのかな。聞いてみようかなと思います。

あるバイオリニストのCDをデビュー作から順に何枚か聴くうち、「あれ、このCDから突然、バイオリンの音色が違うぞ。なにがあったんだろう」と驚きました。弾き方に変化でも出たのかしら。それともここらへんで大きな恋でもしたのかしら。質問してみようかな。

実はそのバイオリニストとは諏訪内晶子さんのことですが、音楽のシロウトが伺うのもナンですけれど、と前置きして恐る恐る尋ねてみたところ、

「そのアルバムから、バイオリンを変えたんです」

とのお答え。つまりその年からストラディヴァリウスの三大名器の一つと言われる「ドルフィン」を弾くようになったというのです。へえ、バイオリンによって、こんなに音の響きが変わるんだと、そのとき初めて知りました。その話から、楽器のことに話題は広がって、子供の頃からだんだん身体が成長するにつれ、大きなバイオリンを持てるようになり、大きなバイオリンになればそれだけ、音の深みと厚みが増し、低音も出せるようになるのだと教えられました。

「どうだい、いい質問してるでしょ」と威張るつもりは毛頭ございませんけれど、でも、自分で「あれ？」と思ったことを率直に相手にぶつけると、それだけ相手の仕事に注視していることが伝わって、本当は他の資料が読み切れていないにもかかわらず、思わぬ話の広がりにつながることはままあります。そんな点稼ぎのポイントだけを探し、定期試験の山かけをするように、いざ質問をぶつけてみると、「残念でしたあ。まったく的外れ！」

ということもありますけれどね。

ある女流ベストセラー作家の方のときも、資料読みがまったく間に合っていませんでした。なにしろその方、話題作を出された直後で、担当編集者君に「アガワさん、他の資料はともかく、この本だけはちゃんと読んできてくださいね」と強く念押しされて、上中下巻にわたる新刊本三冊を手渡されました。「ハイ、ハーイ」と私は軽く応えたものの、いざ読み始めてみると、なんという大長編。読んでも読んでも前に進まない。三冊もある上に、上下二段組み。それより何より、実は私、本を読むのが人の十倍、遅いのです。私としてはかなり事前に読み始めたつもりだったのですが、ろくに読み進まないうちに、対談日時がどんどん迫ってきて、にもかかわらず気がついたらまだ、上巻の真ん中にも至らない。

「やばい、これは間に合わないぞ」

慌てた私は、ええい、もうこうなったら仕方ないとばかりに、一ヵ所読んではガバーッと五十ページくらいめくってそこをしばらく読み、また五十ページめくってはそこを読み、という感じで飛ばし読みを始めたのです。ところが、そんないい加減な読み方をしているにもかかわらず、開くページ開くページが激しく感動的な場面だったものだから、ついつい引き込まれて涙が出てしまう。ガバッとページを飛ばすたびに、オンオン泣いて、飛ばしてはまた泣いて、泣き疲れて睡魔に負けてふっと寝てしまい、ハッと目が覚めて、朦朧とした頭でまた読み始めると、また泣くという繰り返し。

翌朝、担当君に、「どこまで読みましたか?」と聞かれ、「えーと、ちゃんと読めたのは上巻の数十ページぐらいかな。あとは飛ばし飛ばしで……」と告げたところ、担当君、失神しそうなほどの青い顔になっちゃった。そこで私は彼をなだめるために、

「でも、どんなに飛ばし読みしても悲しくて、四回も泣いちゃったのよ」

そう言ったところで担当君の不安が消えるはずもありません。私とて、不安と恐怖におののきつつ、とうとう本番の時間となりました。

「素晴らしい作品でした。私、四回泣きました」

著者にお会いしてまず、私はそう申し上げました。「飛ばし読みしました」という事実はさすがに口にできませんでしたが、「四回泣いた」のはウソではありません。素晴らしい作品だったと思ったのも本当です。すると、ゲストである女流ベストセラー作家は、とても喜んでくださって、それからは、その小説を書くにあたっての取材のご苦労や、作品が出来上がるまでの感動的なエピソードの数々をたくさんお話しくださり、その日のイン

タビューは大変に実のあるものとなりました。

もちろんこれは、決して褒められた話ではありません。なるほど、つまり、事前の準備はいい加減にしてインタビューに臨んでも構わないということね、などと解釈されては、まったくもって困ってしまいます。

そうではありません。

事前の準備はほどほどに

でも、開き直って申し上げるなら、資料を万全に読み込んで、すべての情報を頭に入れていくと、安心すると同時に、油断もします。これとこれと、これを聞けば完璧だわ、もう大丈夫と、すでに会ってお話を聞いたような錯覚に陥りやすい。あるいは、既知の情報に引っ張られ、自分自身の発見や素朴な疑問や驚きが、後回しになってしまいがちです。だから、事前の準備はほどほどに。お相手に最低限、失礼のない知識は頭に入れておくにしても、相手についてすべて知ってしまったかのような気持にならないよう、未知の部分を残しておくことが大事です。

そして、できればゲスト自身が苦労して作り上げた作品や業績に関心を向けることが、相手の心を開く一つの手立てとなるような気がします。誰だって、「あの雑誌の受け答えが面白かった」と言われるより、「あなたの書いたあの文章が面白かった」「あなたの演技が魅力的だった」と言われるほうが嬉しいに決まっていますものね。私だったら、そんなこと言われたら、このインタビュアーには何でも応えちゃうぞという気持になるでしょう。

さらに、これは資料を読破せずにインタビューをする私の言い訳にしか聞こえないかもしれませんけれど、実際、ゲストのすべての経験談や得意のエピソードを知り尽くしてインタビューに臨むと、つい、質問者がその答えの先回りをしかねないのです。

「あー、その次の日に、あなたは監督と運命的な再会を果たし、そしてこの映画を作ろうという話になったのですね」

質問者がそんなふうな受け方をしたら、

「なんだ、知っているのか。だったらここで話すこともなかろう」

ゲストは語る気力をなくしかねません。どんな人だって、相手に自分の話を面白がってほしいと望むでしょう。なのにこの質問者は、自分がこれから話そうとしている笑い話の内容を、すでに知っている。二度、受けてもらうわけにもいくまい。ならば手短にすませてしまおうか。そういう気持になってしまうと、広がるべき話が、逆に縮まってしまいます。資料を読んですでに知っている。でも、「知っているけど、細かくは知らないんです」となれば、ゲストは「じゃ、話してあげましょう」という気持になるでしょう。だから「資料を読まないで臨むほうがいい」と申し上げているわけではありませんから、念のため。

ちなみに、私が飛ばし読みしたベストセラー本の著者の方も、私が詳細に作品を読み込んだインタビュアーだと勘違いしてくださったようで（すみません……）、後日、担当君に、

「ところでアガワさんは独身？」とご下問があったとか。

「ご紹介したい男性がいるんだけれど」と、縁談までご配慮くださった。ところがよくよく伺うと、なんとお相手の男性はまだ三十代だったとか。

「先生、実はアガワさん、もはや四十歳を過ぎてる（当時）んですが」

ありがたいお話は、一瞬で泡と消えました。自業自得か……。

7　観察を生かす

前に申し上げたとおり、インタビューに臨む際、私は「大きな柱を三本用意する」こと

にしていますが、実際には、それにとらわれ過ぎてもいけないと思っています。なんといっても生きた人間を相手にコミュニケーションを取るわけで、会ってみたら、予想だにしていなかったことが起こる場合もあるからです。そして、「この話と、この話と、この話を、この順番に聞いていこう」と計画していた自分の思惑が、一気に崩されることもあり得ます。

予定を崩されたときにどうするか。

ここが問題ですね。

ちょっとだけ崩されたままにしておいて、なるべく早く軌道修正して予定通りの話題に戻す。それも一つの方法です。しかし、崩されてみると、どうやらそちらのほうが面白そうだし、大事な話のようだし、なによりお相手がたいそう乗っている雰囲気。ならばそのまま流れにまかせて、全面的に方向転換をしてしまおう。それも、悪くない方法です。そして話の流れの様子を見て、当初の「聞きたかったこと」とちょうど話題が重なったり、あるいは余裕が出てきた頃、元に戻せばいいのです。

一九九七年、監督・主演映画『ＨＡＮＡ－ＢＩ』でベネチア国際映画祭グランプリを獲得した北野武監督にインタビューをしたときのことです。当然、『ＨＡＮＡ－ＢＩ』の受賞の話から始めるつもりでした。

「おめでとうございます。グランプリを受賞なさって、今のお気持はいかがですか」

私の予定では、グランプリ受賞の話をとっかかりに、映画製作の話、お笑い芸人から映画監督になられて、そのことがヨーロッパで評価されるまでの「監督物語」を中心に、もちろん、バイク事故のことも差し障りのない範囲で伺うつもりでおりました。でもきっと、事故から復帰なさってだいぶ時間が経っていたこともあり、あまりご本人は触れたくないだろうと、勝手に思い込んでいた。

ところが、私と監督、双方が席に着き、「よろしくお願いします」とご挨拶をしたとき、付き人の若者が、たけしさんの前におしぼりを置いたんですね。そのおしぼりが、対談会場となったホテルの人の持ってきたものなら疑問にも思わなかったでしょうが、どうやら付き人さんが鞄から出してきたものらしい。私は驚いて、

「おしぼりを、いつも持ち歩いていらっしゃるんですか」

最初の質問がこんな具合になってしまいました。するとたけしさん、

「いやあ、コレ、ないと、困っちゃうんだよ」

「どうして?」

「目が乾いちゃうからね」

つまり、それは三年前のバイク事故での怪我の後遺症だったのです。そういえばたけしさんは番組収録中も頻繁に、ポケットから目薬を取り出して、点眼なさっていました。そうか、どこかの後遺症が残っていて、目が乾いてしまうのを、おしぼりや目薬で補っていらしたんだな。

「北野武は終わった」

世間では、もはやすっかりたけしさんは芸能界復帰を成し遂げて、それどころか映画監督として以前以上に活躍の場を広げ、元気溌剌に生きていらっしゃるかに受けとられていました。が、ご当人にとってみれば、まだバイク事故の後遺症は身体的にも精神的にも、完全に消え去ってはいなかったのでしょう。

「はあ、そうだったんですか」

そこで私はすぐさま、「ところで」と話題を切り替えて、「このたびのベネチア映画祭、おめでとうございます」と、当初の質問に戻ることは容易にできたはずです。でもつい、その後遺症の具合について興味が湧いてしまい、「え、目が乾くと痛いんですか？」とか

「おしぼりを常に持って歩くのも大変ですねえ」などと、ある意味、どうでもいいような質問を続けた記憶があります。するとそこらへんからたけしさん、

「まわりはさ、もう治ったと思ってくれてるけど、俺の中ではまだ治ってないんだ。あれでもう、北野武は終わったって、俺自身、思ったもん」

なんだか大変な問題に入りつつあるぞ。私はこわごわです。そんな核心に触れるような話をするつもりはなかったのに。どうしよう。でも、せっかくたけしさんが、事故のことを振り返ってくださっているのなら、もう少し、突っ込んでみるか……。

とは言うものの、私は決して、そのあたりから鋭く食い下がっていったわけではありません。たけしさんの気持と言葉に沿うように、ただ、「はあ」「へえ」「いやあ、そうなんですか」などと、ほとんど相づちを打っていたに過ぎなかったと思います。でも必死に聞きました。なんたって、こんな貴重な話、聞かずにどうする？

「事故の前は、花屋なんか気にもかけず通り過ぎていたのに、今は『この花きれいだな』って立ち止まってじいっと見ちゃうときがある」

「台所にぶら下がってる包丁をずっと持って、考えたときもあったよ。でも、勇気なかったから」

これって、スクープ？　それともたけしさんの周辺の人はみんな、知ってる話なの？　私はたけしさんの話を聞きながら、頭がぐるぐるしてきました。でも、おろおろしながらも、よく考えてみると、事故後のたけしさんの様子は、私が最初に伺おうとしていた映画『HANA－BI』の中のワンシーンにどうやら似ているではないか。

車椅子の生活になってしまった大杉漣さん扮する刑事が、生きていることの意味を失って、花屋の前で呆然と花を見つめるシーン。そのうち、それらの花を買ってきて、その花の写生を始める……。絵を描くことに熱中するにつれ、ようやく新たな意欲を取り戻す。つまり『HANA－BI』は、たけしさん自身の経験から生まれた映画だったのです。

思いがけず伺うことのできた事故後の心境から、みごとに映画の話へ移行できたのは、私が上手に誘導した成果ではありません。たけしさん自身が、ご自身の心に沿って、私を相手に話しているうち、たまたまそういう流れになったのです。私に手柄があったとすれば、それは、「おしぼり」に関心を示したことと、あとはたけしさんの気持の方向にできるだけ沿って、相づちを打ったことぐらいだと思います。

8　段取りを完全に決めない

萩原健一さんへのインタビューも、思わぬかたちで成功したケースの一つです。グループサウンズ時代のスターたちが今も現役として活躍している。私の青春時代のアイドルだった彼らに、当時を振り返ってもらいながら、今に至る日々の苦悩や迷いや喜びをおおいに語ってもらおうではないか、という企画が持ち上がり、何人かのシリーズインタビューの一人として、ショーケンにも出ていただくことになりました。

ところがちょうどその頃、ショーケンさんはお遍路をして四国八十八ヶ所を完全徒歩で回って帰ってきたばかりとか。ご本人はその話をしたがっていると、事前にマネージャーの方から話がありました。

「どうする？」

こちらのインタビュースタッフは少々、戸惑いました。お遍路の経験を伺うのはいいけれど、それだけではちょっと話が偏りすぎるのではないか。でもまあ、最初にお遍路の話を短めに伺って、そこから徐々にテンプターズ時代の話に戻していけばいいだろう。

さて、そういう段取りで行くことに決め、ショーケンさんにお会いするなり、

「お遍路さんにいらしたんですって？」

するとまあ、たった一つのその質問から始まったショーケンさんのお遍路話の面白いこと。

「自分にヤキ入れてやろうと思ってね」、ピクニック気分で八十八ヶ所巡りを決心したものの、ジーパンTシャツ姿で歩いていくと、途中の食堂のご主人に「歩いてやるなら、その格好はおやめなさい」と叱られて、おまけにビールを飲んでいることがばれるや、「金はいらないから」とビールを取り上げられ、「別格寺へ行って、口ゆすいで、お祓いしてこい。二度と酒を飲むな。そしてもう一回、ここから歩け」と言われちゃう。

「バカ野郎、こんなこと真面目にできるか」と毒づいていたはずのショーケンが、しだいに心変わりをしていく。身につけていたウォークマンもカッパも無線も捨て、数珠一本と金剛杖だけを頼りに、マムシと闘い、道に迷い、来た道を引き返し、迷い人を助け、誕生日に嵐に遭い、とうとう、「出る前までは願いごとばっかりだったんですけどね、いい女が現れますようにとか。でも、なくなっちゃうんです、自分の願いごとなんて一つも。人のことばっか」祈るほどに心は清められてしまう。

「自分で初めて自分に対してよくやったと言えた。『ショーケン、よくやった』って」

その言葉を聞いて、私は思いました。いやはや、このお遍路苦行の経験は、ショーケンの人生そのものだ。だからこそ、これほどに心動かされる話なのだと気がつきました。最後におまけのようにテンプターズ時代の話や新作映画の話を伺いましたが、正直に申し上げて、前半の圧倒的迫力には負けています。

私はそのとき、肝に銘じました。

自分で決めつけてはいけない。こっちの話が面白いに違いない。あっちの話はそんなに面白くないだろう。聞き手が勝手に決めつけることが、どんなに危険であるかを、その日、つくづく思い知りました。

9 相手の気持を推し測る

相手を見るということは、すなわち相手の心の中は今、どんな状態になっているのかと慮《おもんぱか》ることでもあります。

以前、ホテルのサービスについてのトークショーで司会を務めたとき、山形県かみのやま温泉にある旅館の女将さんが、こんな話をして下さいました。

明るく接客するということは、自分たちサービス業の人間にとって基本中の基本である。しかし、お客様の中には、落ち込んでいたり、悲しみに沈んでいたり、心配ごとやイライラを抱えたりしながら、旅館を訪れる方も大勢おられるでしょう。そんな方をお迎えするとき、ただひたすらに「明るく」していてよいものだろうか。

実際、女将さん自身がとにかく明るくを心がけて、元気のいい声で、「おはようございます！」とご挨拶したところ、「そんなに明るい声で笑いかけられても、こっちは悲しくなるばかりだ。今、とても悲しい気持でいるものでね」と、いとも辛そうな顔を向けられて、深く反省したことがあるそうです。それ以降、「お客様が今どういう気持でいらっしゃるのか」を、子細に尋ねなくとも、様子を見て推し測ることができるようにならないと、本当のサービスとは言えないのだと思い知ったそうです。

その話を聞きながら、「ああ、インタビューも同じだな」と私は思いました。

たとえば対談相手の作家が眼帯をしていらしたとする。その眼帯が煩わしくて、目に痛みもあり、本当なら今日のアガワのインタビューは欠席したいと思ったが、頑張って家を出てきたんだと、心の中で思っていらっしゃる人の前で、会うなり、

「ああ、初めまして。このたびは直木賞受賞、おめでとうございまーす！」

もちろん、その挨拶も大事ではあろうけれど、本人としてみれば、それより目が痛いし眼帯が煩わしいことの問題のほうが頭を占拠しているはずです。あるいは、心の広いゲストなら、「私の目のことなんか、どうぞ気にせず、仕事の話をしましょう」と思っておられるかもしれません。しかし、もし相手が自分の友達だったなら、まず会って、眼帯をしている姿を見れば自然に出てくる台詞はまず、こちらでしょう。

「どうしたの、その目？」

これが人間のコミュニケーションの自然の流れというものです。そして問われた側は、「よくぞ聞いてくれました。実はね……」と言葉が即座に続くでしょう。ところがいざ、仕事のインタビュー、あるいは堅苦しい場面においては、こうした当然のやりとりが、とかく敬遠されるケースがあります。会う目的がきっちり決まっていると、脱線することを恐れ、普通の会話ができなくなってしまうのです。

でも、どんなに真面目な話をするつもりでも、人間同士、とりあえず相手の気持を思いやる余地は残しておきたい。本題に入る前に、まずその眼帯の苦しみを聞き手が理解していることを示す。そういう気持を伝え、様子を測りつつ、こちらの聞きたいことをぶつけていかなければ、相手は聞き手に心を開きにくいだろうと思います。

うんざりしている人もいる、という意識

やや話が脱線しますが、十年ほど前、世田谷文学館で「北杜夫展」が開かれたときのことです。オープニングのパーティに北杜夫さんと奥様、お嬢様も列席なさり、たくさんのご友人がたや出版関係者も集まっていました。ふと見ると、北夫人が片足に大きな包帯を巻いていらした。驚いたお客様たちが、次々に北夫人のそばに寄っていって、「どうなさったんですか」とお尋ねになる。

「実はね、わたくし……」

照れくさそうに北夫人が、その質問の一つ一つに答えているうちに、パーティが開始された。

「ではまず、本日の主役、北杜夫さんにご挨拶を頂戴したいと存じます」

司会者に促されてマイクの前に進んでいらした北さんの、スピーチが始まりました。

「あのー、まず、家内の足のことですが」

北さん曰く、あまりにもたくさんの人が異口同音に同じ質問をし、奥様が同じ説明を

延々と繰り返すのを見ていて、聞く側も答える側もへとへとにくたびれちゃうので、「ここは僕が一括してその疑問に答えておいたほうがいいだろうと思いまして」とのこと。

ご自身の個展のオープニングの挨拶冒頭が、奥様の怪我の説明で始まるとは、あまりに可笑しくて私は大笑いしてしまいました。

なんでこんな話をしたかというと、さきほど「眼帯をしている人を見たら、まず『どうなさいましたか』と聞くのが親切というもの」と書いたけれど、ときとして、その質問にうんざりしている人もいるということを、同時に心しておかねばならないと思ったからです。どちらにしても、相手の気持がどこらへんにあるか。恐る恐る推し測りつつ、会話を始めることが大事なのだと思います。

10 自分ならどう思うかを考える

とはいえ、どうやって相手の気持を推し測ればいいのか、具体的に何を取っかかりにして相手の心の中を探ればいいのか、戸惑うことはしょっちゅうあります。だってこの人は、私じゃないし、ってね。

もちろん「私」ではないのですが、それでも「私」を一つの基準に設定することは無駄ではありません。「私なら、そんなとき、どう思うだろう」「私だったら、泣いちゃうぞ」。自分と同じであることを「正しい」とか「当然だ」と過度に思い込まないようにさえすれば、目の前の人が、「私」とどう違うのか、どのくらい近いのか遠いのか。そのスケールをもとに質問を広げていくことは、有効な手立ての一つとなり得ます。

たとえば相手が「初めて世間に出て働きたいと思ったのは、七歳のときです」と言ったとする。瞬間的に私は自分の七歳の頃に思いを馳せ、自分がその年頃で何を考え、何を感じていただろうかと考えます。信じられない。私が缶蹴りに夢中になっていたのと同じ年頃に、なぜこの人は「早く働きたい」なんて、そんな大人びた考えを抱いたのか。なにがこの人を追い詰めたのか。脳天気な自分と引き比べて、さまざまな疑問が湧いてきます。時代背景、家庭環境、経済状況。自分と違うからこそ疑問は湧き、しかし自分と違うからこそ、自分のスケールだけで判断してはいけない。でも、嬉しかったり悲しかったり苦しかったりする感情に、違う体験ながら、どこかで共鳴する場所を見つけることはできるはずです。違う思考や行動を経験した他人の気持の一部だけでも、自分の何かの経験を重ね合わせることができたとき、相手に対するより深い理解と興味が生まれるのだと思います。

レスリングの浜口京子選手にお会いしたのは、彼女がアテネ五輪に出場した直後。準決勝のときに電光掲示板にポイントが正しく表示されず、浜口選手が延長戦だと思っているうちに、負けの判定が下される、というアクシデントのあったあとでした。結局、その五輪では三位決定戦に勝利し、銅メダルを獲得できたのですが、そのインタビューではなんといっても、あの不可解な判定に焦点が絞られます。あの瞬間、浜口選手はどう思ったのか。悲しかったのか、悔しかったのか。涙は出なかったのか。ヤケを起こしたくならなかったのか。なにより、どうやって、その後の三位決定戦までに、気持を切り替えることができたのか。

「私という性格の女がもし、あんなことをされたら、悔しくて腹立たしくて、きっとそばにいるコーチとかトレーナーとかに八つ当たりをするだろう。同じ日に三位決定戦なんか出たくないと暴れるかもしれない。だって気力も体力も完全に失っているもの」

そう思いました。実際、浜口選手もあの瞬間、何が起こったのか理解できないほどボーッとして、とりあえず審判に抗議をしてみたものの、取り合ってもらえず退却する。その後、選手村に戻り、六時間後の三位決定戦までに気持の切り替えをしなければいけないと頭のどこかで気にしながらも、「なんでこんなことになったんだろう」という思いから抜けられない。そこで、浜口選手は携帯で家族に電話をするのです。

「母が電話に出て『京子は世界（世界選手権）でゴールド取った女なんだぞ。堂々と戦いなさい！』と言われた瞬間、『あ、そうだ。こんなところで落ち込んでいる場合じゃない』と目が覚めました」

さらにお母さんは、「私は今まで勝てって言ったことはないでしょ？　でも、今回は勝ちなさい。銅メダルを取りなさい」と。そして同時に「お前はよくやった」と娘を評価する。その一言で、それまでただ呆然とするだけで泣くこともできなかった浜口選手が初めて涙を流し、試合場に戻ったときは、「あ、また試合ができるんだ！　嬉しい！」と、笑顔になるくらい、元気が出てきたんです」。

はあと、私はじわじわ溢れてくる涙をぬぐいつつ、ひたすら嘆息してしまいました。

ゴルフで得た教訓

突然、話が変わりますが、私は今、ゴルフに燃えております。五十歳の誕生日の一週間後、仕事仲間に誘われたのがきっかけで始めてみたら、こんなに夢中になるとは自分もまわりも驚くほど、大好きになってしまって困ったほどです。まさに五十の手習い。結婚も出産も叶わなかったけれど（まだわからない、目指せ小林幸子！）、ゴルフのおかげで侘しい老後の不安がなくなりました。

それはよいとして、夢中になるからこそ、なんとしても上手になりたいと思う気持が強くなります。そして精進の末、数年前にベストスコアの九十五を達成しました。

「あら、私って、けっこう上手になったみたい」

ちょっとばかり得意な気持になって二週間後、女子三人でラウンドしたのです。一人は以前から親しい友達、もう一人は初めて会った奥様でした。

「よろしくお願いしまーす」

明るく挨拶をしてから回り始め、「まあ、アガワさんって、お上手ね」なんて驚かれちゃうかしらと想像しながらボールを打っていくと、途中のホールでボールが崖の下に落ち、そこから出すのに五打、ようやく出したらバンカー、バンカーから出すのに二打、グリーンに乗せて、スリーパターして、なんと一ホールで十一打も打ってしまったのです。残る二人はとっくにホールアウトして、私を遠巻きにして待っています。恥ずかしくて悔しくて、「ごめんなさい、お待たせ」なんて言いながらも顔はぴくぴく引きつるばかり。それから次のホール、次のホールと進んでも、失敗を繰り返し、とうとうその日はハーフだけで七十二打も叩くという情けない結果となりました。

先々週、九十五というベストスコアを出した私が、なんでこんなに下手になっちゃったんだ……。一打失敗するごとにイライラし、独り言のように、「あーあ、なんでさっきクラブを変えなかったのかしら」とか、あるいは心のなかで、「さっきのホールでグリーンの手前にバンカーがあることを、キャディさん、早く教えてくれればよかったのに」などと、自分の失敗をキャディさんのせいにすることもありました。

こうしてその日、十八ホールのすべてを終えて、ロッカールームへ戻ってきたところ、初対面で回った若い奥様が、私の顔を見て、厳しい目でおっしゃったのです。

「アガワさん、引きずり過ぎなんです！」

京子ちゃんの笑顔

ハッと目が覚めました。なんと恥ずかしい。奥様は、私がいつまでもぐずぐず愚痴を言い、機嫌悪くしていた一部始終をお見通しだったのですね。そりゃ、誰が見たって私が不機嫌なのはわかるほどに嫌な顔をしていたのだから当然のことではありますが、そんな私

に彼女は、

「もっとゴルフが上手になりたいのなら、失敗しても引きずらない。さっさと忘れて気分の切り替えをしなさい」

と、教えてくれたのです。

私はこの一言を、今でもゴルフをするたびに思い出します。よし、今日は引きずらないぞ。肝に銘じます。そして同時に、浜口京子ちゃんの笑顔が浮かんでくるのです。

私のゴルフどころではない。完全に他人のせいで、金銀のメダルを獲得し損なったのに、彼女はそのことを恨むことなく引きずることもなく、お母さんの一言でシャキッと立ち直る。落ち込んでいる場合じゃないぞ。そして次の試合では、「クソー、審判め！」なんて睨みをきかせたりもせずに、満面の笑みで「マットの上で試合ができることが嬉しくてたまらない」自分を取り戻すのです。

そうだ、今日、こんないいお天気に、親しい仲間とゴルフができるだけで、私はなんて幸せなんだ！

バンカーから何度叩いても出ないとき、私は半泣きになりながら、浜口京子ちゃんの笑顔を頭に思い浮かべるのです。

11　上っ面な受け答えをしない

浜口選手の話でもう一つ、胸を打たれたことがありました。それは、京子ちゃんのお母さんの言葉です。もし私が母親の立場にいたとして、自分の子供が京子ちゃんのように、どうしていいのかわからなくなっているときに、いったいどんな言葉をかけるだろうか。「気にするな」と言ったら、「お母さんにとっては他人事だろうからそんなこと言えるんでしょうけど、そんな簡単にはいかないのよ。わかりもしないで勝手なこと言わないで」と反論されるかもしれない。「頑張りなさい」と肩を叩けばきっと、「もうじゅうぶん頑張ってるわよ。そんなありきたりな言葉しか出ないわけ」と子供が逆に怒り出すかもしれない。

ああ、とても私には、最適な言葉を選ぶことはできないだろうなあ……。

そう思うと、京子ちゃんのお母さんが選んだ言葉が、どうして「それ」だったのか。そして、その母親の言葉が、どうして京子ちゃんの胸をピンポイントで射止めたのか。まるで宝くじのように当たる確率の低い難問に思われて、「お母ちゃん、お見事！」と拍手を送りたい気持になりました。

でもきっと、それは互いに互いのことを熟知して、深くて大きな愛情が通じ合っているからこそ、為せる業だったのだと思います。

親子に限らず、インタビューをしていると、ゲストが人生の苦難に陥ったときに、「助けられた言葉」というものに出合うことが、しばしばあります。

ヤンキー先生で知られる義家弘介さんにお会いしたときのことです。不良時代からようやく立ち直り、これから真面目に社会で生きていこうと勉強に励んでいた矢先、オートバイ事故に遭う。生死の境をさまよいながら、「ああ、俺はやっぱりダメなんだ」と自暴自棄になりかけていたヤンキー先生のもとへ、高校時代の恩師、安達俊子先生がお見舞いに来て、朦朧としたヤンキー先生に語りかける。

「死なないで。あなたは私の夢なんだから」

その一言で、ヤンキー先生は、生きる意欲を取り戻すのです。

決して計算して出てくる言葉ではないでしょう。でも、その瞬間、恩師の安達先生が、どうしてそういう言葉を選んだのか。そして、それを耳にしたヤンキー先生の心に、どういう作用をもたらしたのか。奇跡のような言葉の威力に圧倒されて、二人が向き合っている病院の一室の光景がまざまざと浮かんできて、私はたしか、オンオン声を出して泣いた覚えがあります。

聞き手が感情移入し過ぎるのにも、問題があります。でも、ときとして、相手の話を、話だけでなく光景として受け入れてみると、自分がその人へ、あるいはそこに登場する人々へ乗り移ったかのような感覚になり、見えてくること、理解できること、疑問に思うことが新たに生まれます。

しかし、どんなに相手に乗り移ってみたところで、どんなに自分と重ね合わせて感動してみても、「あなたの気持をすべて私は理解できたわ。うん、わかるわかる」ということにはならない。なるわけがないのです。だって自分は同じ経験をしていないのだから。

もしもそういう上っ面な受け答えをしたら、すぐに相手は醒めてしまうでしょう。それがどれほど意味のないことか、「真実の言葉」に救われた人たちがどれほど機敏に「こいつはわかってないな」と察知するか、重々承知していないかぎり、相手には信用されないだろうと、泣きながら、いつも思うのです。

人生において、誰かの「一言」がどれほど大切なものであるかを考えるとき、インタビュアーのほんの小さな相づちも、「きちんと打たなきゃダメだ」と肝に銘じます。

II 聞く醍醐味

12　会話は生ものと心得る

あるテレビ番組で笑福亭鶴瓶さんとご一緒したときのことです。その日のテーマは「百年後の日本に残しておきたいもの」。私が進行役で、鶴瓶さんがゲストでした。鶴瓶さんが百年後の日本に残しておきたいのは、「銭湯」だという。

関西で幼少時代を過ごした鶴瓶さんにとって、「銭湯」は絶好の遊び場だったようです。子供が行きたがったというよりは、当時の大阪のお母ちゃんたちにしてみれば、元気な子供たちに家のなかで騒がれるのもやっかいだし、さりとて糸の切れた凧のようにどこか遠くへ遊びにいって帰ってこなくても心配。そこで、「あんたら、銭湯にでも行っとき」と、小銭を渡して送り出していたそうです。さて子供たちは連れ立って近所の銭湯に繰り出すと、番台にお金を払い、すっぽんぽんになって広い湯船のまわりを走り回って、夕方まで遊び呆けたといいます。

そんなふうに子供たちが走り回っている銭湯にも大人がやってきます。おじいちゃんが子供の歓声を横に湯船に浸かっている。そのうち、そのおじいちゃんの横に、ぷっかり浮かんでくる物体がある。

「なんや、あれ」

子供の一人が発見し、「あれ、ウンチか？　ウンチや、ウンチや」

ひそひそ話し、くすくす笑い、そしてみんなで番台に走っていって告げ口をする。

「大変や、大変や。じいちゃんが、お風呂のなかでウンチしとったで」

番台に座っていた主は黙って立ち上がる。傍らに置いてあった、長い柄のついた桶を握ると、浴場に入っていき、桶を湯船に伸ばしてサササッとみごとにウンチをすくい、それをそのまま洗い場に捨て、その上から何度か湯をかけて流し出し、そして、その様子を後ろでじっと見守っていた子供たちを振り返る。怒った顔で主は一言。

「誰にも言うな。ええな」

一喝すると、何事もなかったかのように、また番台に戻っていくのでした。

このような話を、鶴瓶さんの見事な語り口で聞かされた私は大喜び。その時代の銭湯の光景、子供たちの表情や高く響く声、番台の主の苦虫をかみつぶしたような顔、じいちゃんのすっとぼけた様子。いろんなことが目に浮かび、当時ののどかな大阪の銭湯の良さがしみじみと伝わってくる、よいエピソードだと感心しました。

アガワが喧嘩腰に

そこで私はさらに銭湯の魅力について、鶴瓶さんにもっと話していただきたいという気持になり、次の質問を考えていたところ、突然、カメラが止まり、サブ（副調整室）からスタッフが出てきました。

「ええと、その話はそれくらいにして、続いて鶴瓶さんに、『ミソギ』について伺いたいのですが。日本人にとって『ミソギ』というものが、どういう意味を持っているか、お話をしていただきます」

なんじゃそりゃ、と、私は驚きました。せっかく話が盛り上がり、これから銭湯の良さを掘り下げていこうと思っていたのに、どうしてそんな堅苦しいテーマをここで挟まなければならないのか。合点がいきません。

「それは、流れからいって、おかしいでしょう」

ムッとした私は、おおいに喧嘩腰です。顔が引きつり、声がうわずって、その場の空気はみるみる悪化していきます。

「でもアガワさん、ここは『ミソギ』について伺わないと。最近、政治家でもすぐに『ミソギ』だとか言って、簡単にそれまでの疑惑を帳消しにしようとする傾向があります。そういうことに対して鶴瓶さんがどう思っていらっしゃるか、伺いたいのですが」

「そんなことを鶴瓶さんに、この流れでは聞けません」

なんて、言い合いをしていたら、それまで困ったような顔でうつむいていた鶴瓶さんが、

「ま、ええやないですか。トークは生ものやさかいに」

おかげでつかみ合いの大げんかにはならず、その場はなんとなく収まって、ありがたやありがたやの鶴瓶さんですが、でもそのあと、結局、ミソギについて聞くことになったのか、自分がどうしたのか、よく覚えていません。覚えているのは、自分がカッカしたことと、鶴瓶さんの「トークは生もの」という言葉だけです。

そうなんだ、トーク、会話は生ものなんだ。

今でもときどき、思い出します。すでにお話ししたように、人からいい話を聞こうと思って、あらかじめカッチリバッチリ聞くことを決めて臨んでも、思い通りにいくことは、まずありません。予定外の結果に終わることがほとんどです。でもだからこそ、面白いのです。それは音楽や芝居も同じこと。音符の決まっているクラシック音楽を、なぜ人は繰

り返し聴こうとするのか。同じ俳優の同じ演目の芝居を、どうして観客は喜んで何度も観に行くのか。それは、日によって違うからです。その日の気分、その日の体調、その日の観客によって、演者は、自分でも驚くほど違うパフォーマンスを見せることがある。

料理もそうでしょう。馴染みのレストランの、もはや何度も食べているメニューを口にして、常連が言った言葉があります。

「あ、もしかしてシェフは今朝、夫婦げんかでもしたのかな」

いつもと塩加減が違うという。そんなささいな変化でも人間の脳は反応するものです。それでも常連は、店に通うことをやめないでしょう。なぜなら、次に行ったときは、きっとまた違う味に出会えると思うからです。

もし人が、「常に同じもの。常に最上級のもの」を、演奏や舞台や料理に望むなら、それはコンピューターやロボットに任せればいいはずです。そんなことを誰も望まないのは、もちろん技の魅力もあるでしょうけれど、それより以前に、うつろいやすい人間の本質を味わいたいからです。

ましてトークは、楽譜も台本も決められていない。その場で聞き手と語り手の間に、どんな化学変化が起き、どういう空気が流れるかわからない。私自身、予想していた通りに終わった対談より、思いもよらない結果に終わった対談のほうが満足度は高くなります。

「へえ、あんなことを語ってくれるとは、驚きだったねえ」

インタビュー終了後、仕事仲間と何度、そういう言葉を交わしたことでしょう。

鶴瓶さんと同じ番組に、黒柳徹子さんがゲストとしていらしたことがあります。

黒柳さんの「百年後の日本に残しておきたいもの」は、「千代紙」でした。黒柳さんはあの独特の早口と魅力的な声色で、戦争中、防空壕の中や、黒い紙で覆われた裸電球の下で、カラフルな千代紙のコレクションを広げてうっとりしていた少女時代の逸話を語ってくださいました。

「だって色のない時代でしょ。千代紙だけが、華やかで楽しくて、わたくし、大好きだったんです」

そんな黒柳さんのお話を聞くうちに、私はふと、思いつきました。

「色とりどりの千代紙をためつすがめつしながら、黒柳さんは、大きくなったら何になりたいと思っていらしたんですか?」

すると、ここで黒柳さん、フッと息を一つ吐いてから、

「わたくしね、スパイになりたかったの」

「ヘッ」私は目が点になりました。私はてっきり、色に憧れて、たとえば洋服のデザイナーとか着物作家とか絵描きさんとか、なにか色に関する職業につきたかったのかと勝手に想像していたのですが、思いもよらぬ展開です。

「どうして？」尋ねると、

「だって、わたくし、外国に行きたかったの。外国を飛び回って活躍する職業なら、国際スパイがいいんじゃないかと思って。でも誰にも言えなかったの。戦争中ですからね。ただね、一人だけ、小学校で好きだった男の子にだけ告白したの。あたし、国際スパイになりたいのって」

「そしたら？」

「そしたらその子、まあ、賢い子でしてね。こう言ったんですよ。『お喋りは、スパイにはなれない』って」

予想もしていなかった答えです。千代紙とはなんの関係もない。でも、素晴らしい記憶が黒柳さんの頭の中から、飛び出してきたのです。

13　脳みそを捜索する

トークは生もの。だから予定通りには、まずいかない。そして予定通りにいかないほうが、面白い。

それなら何も準備しなくていいってこと？　そう言われそうですが、そういうことでもない。脳みそのウオーミングアップは最低限、必要です。

たとえば、「今日はお父さんについてお聞かせください」というテーマでインタビューを始めたとする。常識的に考えれば、次のような質問が容易に浮かんでくるでしょう。

・お父さんは、どんな人ですか。
・お父さんの職業はなんですか。
・お父さんと一緒にいて楽しかった思い出はなんですか。
・お父さんに叱られたことはありますか。いちばん厳しく叱られた思い出はなんですか。
・お父さんが、嫌いだと思ったことはありますか。どんなときに思いましたか。
・お父さんが教えてくれたことで、いちばん心に残っているものはなんですか。

・お父さんとお母さんと、どちらが怖いですか。
・お父さんに感謝することがあるとしたら、どんなことですか。
・お父さんとは最近は、どんな話をしますか。一緒にお酒を飲んだりしますか。

という具合に、まあ、いくらでも考えられますが、おそらく語る側も、「そうか、今日は父親についてインタビューを受けるのか」と、ある程度の覚悟を決めた時点でおもむろに、脳みそのなかの、「お父さん抽斗」の鍵を開け、中に詰まっているものを引っ張り出してくるでしょう。そして、そういうことを聞かれたら、こう答えようかと、だいたい予測してくるはずです。

このあたりまでがウオーミングアップ。つまり、抽斗の方向性ぐらいは、多少なりとも双方で認識しておいたほうが、会話のまとまりが良くなることは多い。そんなふうにテーマを認識した上で、

「うーん。思い出って言われてもなあ。オヤジと一緒にいて楽しかった思い出なんて、ろくにないけどなあ」

話すことなど何もないと思いつつ、聞き手と一緒に「お父さん抽斗」をごそごそ漁って

いるうちに、「あれ、こんなもんがあったよ。忘れてたなあ」という宝物を発見することがあります。それは、「ごそごそ」をやらなければ、見つけられなかったものなのです。ときとして、「なんでここに、こんなものが入っているんだろう」と驚くようなものを発見することもあります。「お父さん抽斗に、なぜか昔の恋人の思い出が間違って入っていた」なんていうケースもあるのです。そんな掘り出し物は、聞き手としては放っておくわけにはいきません。なにしろ、見つけた本人も驚いているのですから。

私自身、ときどきインタビューを受ける側に回ることがあります。前もって、「今日のテーマ」を示されていた場合、聞き手にお会いする前に、「これと、これと、これについて話そうかな」と見当をつけて出かけるのですが、聞き手の誘導によって、ふっと、忘れかけていたエピソードを思い出すことがあります。初めて気づくこともあります。そういえば、あんなことがあったとか、語っているうちに、もしかして自分はこういうことが好きだったのかと、語り出してみて初めて、自分の脳みそが整理されることもあるのです。

鶴瓶さんの教えてくださった「トークは生もの」とは、そういうことも含まれます。人間が人間と語り合う会話だからこそ、どこへ飛んでいき、どこで何に気づくかは計り知れない。そのときの気分や、そのときの部屋の雰囲気や風や光によって左右されるかもしれない。聞き手のさりげない反応によって、何かを触発されることもある。聞き手は語り手の、そんな脳みその捜索旅行に同行し、添いつつ離れつつ、さりげなく手助けをすればいい。その結果、意外な掘り出し物を探り当てるという楽しみも、聞き手の醍醐味の一つとなるでしょう。

14　話が脱線したときの戻し方

「トークは生もの」なんだから、どこへ飛んでいっても、どちらへ脱線してもかまわない、ということでは、もちろんありません。居酒屋で酔っ払い同士が仲良く絡み合っているのなら、最初と最後の話のつじつまが合わなくても、結局、なんの話をしたのかわからなくなってもかまわないでしょう（つじつまが合わなくてもめちゃくちゃ面白い会話は間違いなく存在しますが）。でも一応、仕事のインタビューということになれば、基本路線を完全に無視するわけにはいきません。無視してもかまわない場合もありますが、「今回に限っては無視はできない」となったら、さて、どうやって話を元に引き戻すか。

はっきり言って、確実な手立てはありません。どうにもならないことも、ままあります。そういうときは、仕方がないですね。諦めたことも、あったかな。

とまれ、そうならないために、ささやかなれど抵抗した例をいくつか挙げるとすれば、まず、「脱線した話」によーく耳を傾けて、じっくり聞いて、とことん楽しむ。なぜなら、その話は思いも寄らぬ面白い話に発展するかもしれないからです。発展しなさそうだとわかったら、それらのなかに、自分の本来聞きたかったテーマに関連する言葉が、なにか一つぐらい落ちていないかと必死に探すのです。いや、必ず落ちているはずです。

たとえば、「俺さ、友達のオヤジにずっと憧れててね。そのオヤジ、もともとボクシングジムを経営しててさ、腕力はあるわけよ。カッコいいわけさ。で、そのオヤジの親友ってのがいてさ。そいつがまたボクサー上がりで、地元ではけっこう有名なボクサーだった時代があったっていう噂なんだ」と、私としてはご本人の話を聞きたいのに、その友達のお父さんの、そのまた友達の話にまで広がって、どこまで関係ない話に行っちゃうのかなあと不安になりながら相づちを打っていると、

「その、元ボクサーってじいさんが、あるとき俺に言ったんだ。お前、人生でもっとも大事なことは『七転び八起き』だって。その頃、俺、ちょうど七枚目のＣＤを出したばかり

で、ぜったい今度のシングルは売れるって信じていたから、ガクッとなってさ。おいおい、それ、どういう意味だよって。じいさん、変なこと言うなよって思ったら、案の定だよ。そのCDがぜんぜん売れなくて」

そのとき、私はハタと気づきます。

「それって、いつ頃のことですか」

「そうだな、今から五、六年前かな。俺、このCDが売れなかったら、歌手、引退しようと思ってたんだ」

たしかにその当時、彼の引退の噂がちまたに流れた記憶があります。

「本気で辞めようと思ってたんだけどさ、じいさんの言葉が頭に引っかかって。で、一回だけ八起きしてみて、それでダメだったら、やめりゃいっかと思ってね」

そして見事に八枚目のCDが爆発的なヒットを遂げる。

「じゃ、その元ボクサーの一言がなかったら、引退してたんですね」

「そうなんだ。でもそのじいさん、俺が八枚目を出す直前に、死んじゃったんだけどさ」

こんなふうに、最初どうでもいいと思っていた話が、にわかにインタビューの核となることがあるのです。だからこそ、無駄だと思わず、必死で聞くことが大事であり、その一見、無駄に思われる話のなかにコロンと大切な言葉が転がっているかもしれないと、いつも油断なく耳を傾けるようにしなければいけないのです。

ちなみに今の歌手の話はすべて作り話です。え、この歌手、誰だったの？　なんて追及しないでくださいね。喩えなんだからね。

あとは、そうですね。まったくもって唐突に、シレッとした顔で、「どうしてあんな事件を起こしたのですか」などと、いちばん聞きにくいと思われた質問をしてしまう。本当はこちらだってドキドキものです。でも、上手にタイミングをつかむことができたら、あちらは不意を突かれてつい、「え、それはね」と答えてくださることもあります。ただその場合、そこに至る以前に、聞き手と語り手の信頼関係をそこそこに構築しておくことが大切です。この聞き手はちゃんと自分に敬意を払っているのか、最初から批判しようと思って来たのではないか、果たして自分の味方か敵か。どんな人だって、自分のことを根掘り葉掘り聞き出そうとして近づいてくる人間には、それなりに警戒するものです。

「いいえ、違います。味方かどうかはわからないけれど、あなたを貶めようとして、あるいはスキャンダルを暴こうと思ってやってきたわけではない。あなたの口から、あなたの言葉を伺いにきたのです」

そんな検事のような厳しい姿勢を取るつもりはありませんけれど、ときとして聞きにくい質問もしなければならない聞き手としては、じゅうぶんに相手の警戒心を取り除き、誠意を持って接しなければ、本当の答えは返ってこないでしょう。極端な話、その相手との信頼関係さえ生まれてしまえば、

「すいません。そのお話はさておき、こっちの話に戻してもよろしいですか」

などと、本音をストレートに明かしても、許される場合があるものです。

「おっしゃるとおりではありますが」

もっと姑息な「話の戻し方」としては……、「話の戻し方」というより、「質問や発言の差し挟み方」というほうが正しいかもしれませんが、相手の呼吸をつかむという手があります。

これはテレビの討論番組『ビートたけしのTVタックル』で、ときどき使うのですが、お相手が一気呵成に話しているのを、どうにも止められないと思ったら、とりあえず話の流れを耳に入れます。そろそろその話にピリオドが打たれそうな気配を感じた頃合に、ちょうどその頃合に人間は誰でも息継ぎをします。出した息を吸い込まなければならない。

その短い瞬間を狙って、

「で、三宅（久之）さんは、どう思われますか？」

と、他の発言したそうな人にバトンを渡す。それをあまり早くやり過ぎると、話を中断されたゲストは気分を害しますから、そこはタイミングと話の内容をよく吟味して。

同じTVタックルで、なかなか自分の意見を挟めないと思ったゲストの、みごとなバトンの奪い方を見て、私のほうが感服したこともあります。

その方は、相手の話がなかなか終わらないとき、タイミングを見計らいながら、ちょっとした隙間を見つけると、

「たしかに大竹（まこと）さんのおっしゃるとおり」

と、まず大きな声で相手に敬意を表し、意見に同調する。同調された側は、「でしょ？」と一瞬、油断する。自分の言っていることを認められたのだから、悪い気持はしない。その隙を狙って次の発言者は、

「おっしゃるとおりではありますが……」と、そこから反論を展開し始めるのです。なるほどあれだけ人の話が錯綜する討論会では、その手もありなんだと、思わず膝を打ってしまいました。

まあ、私は進行役ですからして、今の方法を実践したことはないのですけれど、それでもときどき、テレビに限らず対談の際に、相手の息継ぎや呼吸に注意を払うことはあります。この人が、この話をするのを楽しんでいるか、無理して話を延ばしているか、あるいは何かその奥に隠していることがあるのか、さっさと終わらせたいと思っているか、もはや話すことがないのに言葉を連ねているだけなのかは、相手の息の吐き出し方を見ていれば、それなりにわかるものです。そんな相手の内面の気持も、質問の言葉を選ぶ尺度になることがあります。

だから話を戻すとき、無理に戻したところで、成果はつかめないかもしれない。できれば話の流れのなかで、自然に、相手の気づかないうちに、そちらの方向へ誘導できれば、それに越したことはないでしょう。

15　みんなでウケる

最初に申し上げたように、インタビューするときは、いまだに恐怖がつきまといます。

相手が対談の途中で機嫌を悪くして怒り出したらどうしようかと思ったり、対談自体は平穏に進んでも、中身が面白くないものになったら読者にそっぽを向かれちゃうと怖くなったり。対談が始まってからも、ゲストの言葉が途切れがちだったり、口が重かったりすると、「そろそろ話題を変えたほうがいいかしら」「さっきの質問をもう一度、してみようか」「いやいや、もう少し、同じテーマで粘ってみようか」などと、頭の中は大騒ぎの大回転状態で、しかしそんな試行錯誤を表に出さず、クールにニコニコ、話を進めなければならないつらさかな。

「アガワさんって、いっつも楽しそうにインタビューしてるねえ。ストレスたまらないでしょ」

と、ときどき言われますが、そんなことはありません。気楽にやっているように見えて、けっこうつらいのですよ。

実際、週刊文春の対談連載を始めて一ヵ月目ぐらいに、首がカチンカチンに凝って、肩もバリバリに堅くなって、気分さえ悪くなってきたので、どうしてだろうと不思議に思いました。それまでも肩こりに悩んだことは何度もありました。でもたいがい、その原因は、長時間パソコンに向かっているせいでした。ところがその頃は、原稿書きの仕事がさほど立て込んでいなかったので、一日中パソコンに向かっていたわけではなかったのです。そんなに根を詰めて肩が凝るようなことはやってないのになあ。どうしてだろう。そしてハタと気がついたのです。

「そうだ、インタビューのせいだ」

通常二時間かけて行うインタビューの間、私は相当に緊張し、身体も目もカチンカチンに力を入れて立ち向かっていたせいだとしか考えられません。

「インタビューに緊張して、肩が痛くて痛くて……」

さりげなく対談チームの仲間にそう漏らすのですが、誰も親身になって心配してくれない。それどころか、「まあ、慣れますよ」と聞き流されるばかり。冷たいなあ。こっちは本当につらいのに。でも実際、だんだん慣れました。少なくとも、初期の頃ほど肩や首が痛くなることはなくなりました。

それでもいまだにインタビュー中は、ちょっとしたことで一喜一憂します。

たとえば、同行している構成ライターや担当編集者がなんの反応も示さず、シーンと静まり返っている場合などです。「ああ、面白くないと思っているに違いない」と、たちまち心が動揺し始めます。

対談をしている間は、まわりに控えている構成ライター、担当編集者、カメラマン、ときに速記者（最近は速記の方は同席しないケースが多いです）のアガワチームに加え、先方のマネージャーさんやレコード会社の人や映画会社の広報マン、ゲストの担当編集者などゲストチームの面々は、二時間ほとんど黙って私たちの会話を聞いています。いわば、彼らを観客にして、舞台でトークショーを行っているようなもの。そうすると、どうしても観客の動向が気になるのです。しかし逆に、まわりで私たちの会話を聞いている人たちが、ククククッと笑ってくれたり、思わず、「ふーん」といった納得の溜め息が漏れたりすると、インタビュアーは俄然、元気になります。

ゲストのみならず、インタビュアーも観客によって救われることは多いのです。

プロゴルファーの尾崎将司さんにお話を伺うため、ご自宅へ訪ねていきました。そういう対談はあまり得意ではないとおっしゃる尾崎さんを、無理やり説得してくださったのは奥様だったとのこと。その奥様のおかげでなんとか実現したものの、どうやらご本人は当日になってもあまり乗り気ではなさそうな雰囲気です。

「はいはい。いらっしゃい」

ご挨拶はしてくださるけれど、なにしろ身体も押し出しも迫力満点で、ちょっと怖い。

当時、私はゴルフなんてしたことがなかったし、プロのトーナメントにも関心がありませんでした。泥縄勉強が露呈することなく、無事に面白い話を聞き出すことができるかしらとドキドキしながら、尾崎さんの前に座りました。私の拙い質問に、それでもボソボソ応えてくださる尾崎さんのお話は、声の迫力のわりに、なんだか可愛らしい。外国での成績が不調なのは、「だって言葉、通じないんだもん」。その言い方が可笑しくて、つい、我々アガワチームがガッハガッハと笑ったところ、

「俺の話、そんなに可笑しい？」

大きな尾崎さんが少年のような愛くるしい瞳で、こちらに問い返されたのです。

「可笑しいですよ。最高に可笑しい！」

そのあたりからだったと思います。どうやら尾崎さんも喋っていることが楽しくなってこられたらしい。おかげで、「ゴルフを知らないくせに、中途半端な質問して」なんて怒り出すことはまったくなく、最後は巨大なワインコレクションも見せてくださって、こちらもルンルンお暇したのでした。

聞き手だけでなく、その場に居合わせた者全員が、対談の参加者です。その参加者一同が、ゲストの話に耳を傾け、そしておおいに楽しんでいるとわかると、ゲストは嬉しくな

るものです。私がゲストになったときだって、いつもそう思います。カメラマンやカメラマンの助手青年にまでプッと吹き出されたりしたら、なんだか嬉しくなってしまいます。

その点、長年の同志である構成ライター、柴口育子女史は、よく笑ってくれます。対談の最中、彼女が眠そうな顔をしていると、あ、この話はつまらないのかな、そろそろ話題を変えようかなと、シバグチ女史の反応は、今でも一つのバロメーターになっています。

そうなんですか、アガワさん。でも、そういう状況は、アガワさんのような仕事をしている人には起こり得ることかもしれないけれど、普通の生活をしている私たちにはあまり参考にならないわ、と思われる読者もいるかもしれませんね。でも、私はそう思いません。ごく日常的な場面でも、じゅうぶんに起こり得ることなのです。

たとえば、会社での懇親会、プレゼンテーション会議、あるいは知人友人の結婚式や歓迎会、送別会などでスピーチをするとき、そして、そのスピーチを聞くとき。

「こんなに大勢の人の前で、うまく喋ることができるかしら……」

スピーチをする人は、きっとドキドキしているでしょう。

「あの人、どんな話をするのかしら……」

スピーチを聞く側の人々は、これからの展開を注視しています。

そういう緊張感に満ちた場面において、もし聞く側の人間が、ただ静かに黙って聞くだけでなく、ときどき頷いたり、プッと吹き出したり、ほくそ笑んだりすると、たちまちスピーカーの舌は潤って、目が輝き出し、ぐんぐん調子が良くなってくるはずです。

「自分の話を面白がっている人がいる。ちゃんと聞いて反応してくれている人がいる」

そのことを確認したとたん、人は話をしやすくなるものなのです。

もちろん、面白くないと思う話に対してまで無理にケラケラ笑う必要はありません。しかし、少しでも「面白いな」と思ったら、それを表情や態度でちょこっと話し手に伝えてみてください。聞き手のそういう反応だけで、話の内容はずいぶん違ってくると思います。

鶴瓶さんの「汚い話」

鶴瓶さんとの対談のときにも、そういうことがありました。

とにかく鶴瓶さんはサービス精神満載の噺家さんであることには間違いなく、最初から最後まで、面白い小話や経験談を次々に披露してくださって、聞き手チームはほとんど笑い続けていたようなものです。が、そんなときでも速記係の女性は、たいていの場合、まったくの無反応。イヤホーンを耳にかけ、テープを回しながら、ご自身もノートに向かって会話の一言一句すら聞き逃すまい、書き逃すまいと、まるで早書きレースに出場している選手のような真剣さが伝わってきます。

速記さんのノートを見ると、アラビア文字のような曲線がたくさん並んでいます。いわば暗号ですね。たとえば「私」という言葉は、一本の右上がりの斜め線で表すとか、「思います」は、縦の短い線だとか（本当のところ、どういう記号になっているかまったく存じませんが）、そういう具合に省略記号によって、喋っている言葉をすべて拾い上げるのが、速記さんたちの仕事です。

「大変なお仕事ですねえ」

ノートを覗いて感心しても、たいていの速記さんは恥ずかしそうに微笑むだけで、なんとも謙虚。いつも静か。出しゃばるなんて感情を、生まれる前に母親の胎内に忘れてきたのではないかと思うほどの奥ゆかしい職人気質の方たちばかりです。

そんな静かな速記さんに、異変の生じた瞬間が一度だけありました。

鶴瓶さんが、あるときどうしてもお手洗いに行きたくなり、我慢できなくなり、公園の公衆便所に入ったときのエピソードを語り出しました。やっとお手洗いを見つけ、和式の便器に座り込み、コトを済ませて気づいたのです。トイレットペーパーがない！　さて困った。

「しかたないやろ。そんでな。それまでしていた軍手でこうして……」

身振りも鮮やかに話し出したとき、静かなる速記さんが、突然、

「汚い！」

いとも不快そうに、はっきり、呟いたのです。

思わず私たちは速記さんのほうを振り返りました。鶴瓶さんも気づきました。目を見張り、そして一同、大爆笑です。そんじょそこらのことでは驚かない速記さんが思わず声を発してしまうほど、この話にはインパクトがあったのか。

おそらくいちばん喜んだのは鶴瓶さんだったと思います。そのあと鶴瓶さんのお喋りは、確実にテンションが高まって、まちがいなく大ご機嫌でお帰りになりました。

16　最後まで諦めない

五代目柳家小さん師匠に出ていただいたときのことは忘れられません。

その日、前のお仕事が予定外に早く終わってしまわれた師匠から、付き人さんを通して、「アガワさんの対談を三十分、早く始めてもらえないか」と連絡がありました。

通常、我々対談チームは、対談本番の二時間ほど前に集まって、その日の戦略を立てたり食事をしたり、次の対談相手の相談をしたりして、準備に取りかかります。そんな事前会議のところへ師匠からの連絡が入ったので、慌てて会場となるホテルへ出発することにしました。

普通は本番となる場所のすぐ近くで準備を整えるのですが、その日にかぎって文春編集部、ホテルまでは車で二十分ほどの場所でしておりました。慌てて文春を出て、車でホテルへ向かおうとしたら、なんと大渋滞に巻き込まれ、ちっとも車が前に進みません。まずいぞ、どうする。でも、最初の約束よりずっと早いんだから、しょうがないよね。

こうして小さん師匠の待つ部屋へ到着したときは、変更した時間を二十分ほど過ぎた頃。

「申し訳ありません。お待たせしました」

部屋へ駆け込んで、小さなソファの前に仁王立ちの師匠の顔を見ると、なんと、驚くほどにほっぺたが膨れ上がっているではないですか。まるでふぐのよう。まさしく仁王様のごとし。ありゃ、本気で怒っちゃってるのかな。

笑ってごまかす余地もないほど、師匠はお怒りのご様子です。どうしよう。でも「じゃ、帰る！」とおっしゃる気配はない。しかたなく平身低頭、おっかなびっくり対談を始めることにいたしました。

最初のうちは小さん師匠、何を聞いてもむっつりぷんぷん。膨れて赤みを帯びたお顔のまま、とにかく俺は機嫌が悪いんだと、私にだけでなく、周囲の誰それかまわず標榜し続けておいででしたが、しだいに様子が変わってきました。

「いつ頃から落語に興味をお持ちになったのですか」

伺うと、

「実は私は小学校の頃に大変腕白坊主でね」

教室の中であまりにも暴れまくるので、担任だった女の先生が閉口なさって、あるとき提案をなさいます。

「小林君（小さん師匠の本名）に一時間あげるから、好きなように使いなさい。そのかわり、今後は授業で静かにしなさいね」

交換条件を提示なさったのです。小林君は「うん！」と答えて考えました。

そもそも小林君は腕白で暴れてばかりの少年ですが、実は自分で作った物語をみんなの前で話して聞かせるのが大好きでした。せっかく与えられた一時間。よし、だったらお話会をしようと思い立ちます。こうして教室で披露したのが、『屁の名人』というお話だったという。

「え、どんなお話なんですか。聞きたい聞きたい」

おねだりをすると、小さん師匠が、しぶしぶながら語り出したのです。

「あるところに屁をこくのがたいそう上手なじいさんがおったとな。毎日、プップププップとこいてたら、その噂が町中に広がって、ついには殿様の耳にも届いてしまった。屁っこきじいさんは殿様からお呼びがかかり、『そちは屁をこくのがたいそううまいとの噂であるが、余の前でこいてみよ』。そこでじいさん、殿様の前でプップププップと上手にこいてみせたところ、殿様はおおいに喜んで、土産をたんと持たせて帰らせた。その話を知った隣に住むじいさんが、『なんじゃ、屁をこくくらいであんなに土産をもらってくるとは図々しい。そんなことなら、わしにもできるぞ』と、殿様のところへ出かけていき、『私も屁をこくのが上手です』『ならば、聞かせてみよ』。ところがそのじいさんは下手だった。名人じいさんとは比べものにならぬほど、つまらないこき方をしたものだから、殿様は怒って、土産どころかお仕置きをされて帰ってきましたとさ」

さすがに小さん師匠です。その語り口のみごとさ。そして、そんな物語をよく小学生のときに思いついたものだと感心し、私も構成ライターのシバグチ女史も担当編集者君も、みんなで大笑いの拍手喝采。小さん師匠は照れながら、

「ま、そんときの経験が忘れられなくて、落語家になったようなもんだな」

見ると、さっきまでゆでだこのように赤く膨れ上がっていた師匠のお顔に笑顔が浮かんでいる。ようやくご機嫌が直り始めたのです。こうしてニコニコ顔になられた師匠はその後、関係がこじれたと言われていた立川談志師匠との貴重なエピソードや、離れてしまってもまだ談志師匠のことが可愛くてしかたないらしきお気持の窺えるお話や、奥様、家族、お孫さんの話に至るまで、丁寧に答えてくださって、最初のお怒りはどこへやら。すっかりくつろいでいらっしゃる。

「ではそろそろ。ありがとうございました」

終了のご挨拶をして、記念撮影をする段で、律儀な私はつい、

「今日はお待たせしてしまい、大変に申し訳ありませんでした」

一言、つけ加えたのが運の尽き。それまでニコニコしていらした師匠の顔がみるみる強張り、またもやふくれっ面に戻ってしまいました。

思い出しちゃったんですね。せっかく忘れていたのにね。

でも、最初はどうなるか、もしかして中止になるのではないかと案じた対談も、諦めないで続けるうち、思いも寄らぬいい結果となることがあるのだと、学習しました。そしてもう一つ、過ぎ去った不快なできごとは、当人が思い出さないかぎり、黙っているに越したことはないという教訓も、重々、学びました。


楽しくなさそうな俳優さんが……


最後まで諦めない。個人的なことはさっさと諦める私ですが、こと対談の仕事となると、責任感ゆえというよりは、あとで仕事仲間に叱られたくない小心のなせる業で、必死に食らいつくようにしています。それでも、あの人との対談では、さすがに途中で諦めかけました。というか、たぶん、諦めたのだと思います。

お相手は、俳優の渡部篤郎さんでした。当時、トレンディドラマに引っ張りだこの渡部さん。あのニヒルな仕草や、母性本能をくすぐる繊細でちょっと陰のある表情が若い女性（オバサンもかな）の心をわしづかみにしていました。

だいたい私は「いい男」に会うのが、苦手です。内心はもちろん嬉しいですよ。でも、いい男の、いい顔を見ていると、なんだかものすごく恥ずかしくなって、私がこんなところでお喋りしていていいのだろうかという居心地の悪さを感じてしまうのです。だからインタビューが始まる前から多少の不安を抱いていたのでした。

予感は的中しました。渡部さんは、私の前のソファに座り、ちょっと斜に構えた姿勢で、長い前髪をときどき搔き上げつつ、どんな質問にもニヒルです。

もちろん一つ一つの私の質問に、ちゃんと応えてくださってはいるのですが、なんとなくぽつりぽつり。どうもテンションが上がらない。初対面ですから、最初は会話がすれ違ったり、冷え切っていたりするのは、他のゲストのときにだってあり得ることなので、さほど気にならないのですが、渡部さんは、三十分経っても一時間経っても、ちっとも馴染んでくる気配がないのです。

「テレビや映画だけでなく、舞台をなさるおつもりはないんですか?」

「どうなんでしょう……。やらなきゃダメですか」

「いや、別にダメと言ってるんじゃないけど、どうなんだろうなと思って」

「どうでしょうねえ」

いつも笑い役を担ってくれるシバグチ女史も、おおいに盛り立ててくれる担当編集者青年もシーン。周囲の重苦しさを感じるぶん、私の気持もどんどん沈んでいく。ああ、今日は完璧に失敗だ。二時間もかけて、ゲストをご機嫌にできない私の、どこがいけなかったのだろう。どうすりゃ渡部さんは、その気になってくださるのだろう。

「この対談もっとやったほうがいいですよ」

私は途中で思いました。きっとこういう雑誌のインタビューそのものがお嫌いなんだ。そうでないなら、私のことがあんまりお好きでないんだ。思考はますます暗くなるばかり。しかたない。終了の時間も迫ってきたことだし、そろそろおしまいにしよう。そんなふうに思ったとき、突然、

「アガワさん、この対談、何年やってるんですか」と渡部さんからの逆質問。

「えーと、七年……かな」

するとと渡部さんは、ニヒルに笑い、

「もっともっと、たくさんやったほうがいいですよ」

「へ？」

「だって非常に話しやすいもん」

その言葉を聞いて、私もシバグチ女史も担当編集者君も、いっせいに、椅子から転げ落ちました。どこが話しやすかったんだ？　私のみならず、その場にいた全員が、「今日は最後まで、どうにもこうにも盛り上がらなかった」と、そう思っていたからです。

そして私はこのときも、学習しました。

人は皆、自分と同じ顔で、喜んだり悲しんだり寂しがったりするとは限らない。私が「楽しくなさそう」に見える人だって、心のなかで跳び上がるほど楽しいと思っているかもしれない。だから勝手に決めつけるのはよそうと。

17　素朴な質問を大切に

インタビューに臨む際、「質問は一つ」を基本のモットーにしつつ、聞きたいテーマをだいたい三本ほどに絞り込むことにしているという話は、すでに書いたとおり。でも、その「三本」を、さて何にするかでいつも頭を悩ませます。

世の中で有名になっている人の場合はなおさらのこと。質問し、ゲストの答えを聞いて

「へえ、そうだったんですかあ」なんて驚いてみたところ、もはやたいがいの人は「知ってるよ、そんな話」なんてことになったら、それこそ笑いものです。インタビュアーの資質が疑われるというもの。いったいこの話題は世間に広く知られていることなのか、それともまだほとんどの人が知らない話なのか。それを確認するためにも、過去のインタビュー記事やご本人の著作をチェックしておく必要があります。

しかしときどき、「まさかこんな基本的なことは、今さら聞けないよね」などという質問が、いや、そういう基本的な質問だからこそ、それまで誰も触れていなかったというケースもあるものです。そして、「今さらこんなこと伺うのもナンですが」と、勇気を奮って聞いてみたところ、思わぬ収穫を得る場合があります。

その意味でいちばんうまく行ったと思われる例は、「聖飢魔Ⅱ」のデーモン閣下へのインタビューでした。お会いしたのは二〇一〇年のこと。衝撃的なデビューからは、はるかに時間が経過して、もはやデーモン閣下の存在を知らない人はいないでしょう。ちょうどその年、地球デビュー（ご本人がそうおっしゃった）二十五周年を迎えて新たな大教典（いわゆるアルバムのことらしい）を発布（発表）なさったタイミングでありましたが、むしろ一般的には、ご本業でない「相撲評論家」としてのデーモン閣下が話題になっていた時期でした。

もちろん、みごとな相撲解説の極意について話を伺いたい。でも、

「それだけではなく、音楽についても話していただかないとねえ」

いつものようにインタビューの前、担当編集者青年と構成担当のシバグチ女史と打ち合わせをしているとき、私は資料に目を通しながら、ふと思ったのです。

「ねえ、ヘヴィメタって、何？」

ロックの一種とは認識していましたが、そもそもロックにどういう種類があり、そのなかでヘヴィメタが、どんなロックなのか、そしてデーモン閣下が歌うヘヴィメタが、どんな特徴を持った音楽なのか、チンプンカンプンわかりません。

「それはですねえ」

ちょうど担当編集者だったタカハシ青年はロックが大好きだったので、その場で詳しく説明してくれました。でもそれでもわからないことだらけです。そうしたら、

「もう単刀直入に本人に聞いちゃえば？」

シバグチ女史が呟いたのです。なるほど、そうだね。聞いちゃおう、聞いちゃおう。

もしこのインタビューが「音楽雑誌」に掲載されるものだったら、こんなことはできな

かったでしょう。専門誌のインタビューなのに、「そもそもヘヴィメタってなんですか」とミュージシャン相手に聞いたら、音楽好きの読者は怒り出すに違いありません。「そんなこと、みんな知ってるよ。知らないのはインタビュアーのお前だけだ！　個人的興味だけで質問するな！　もっと音楽の深いところを読者は知りたいんだよ」

ごもっともなお怒りです。しかし、週刊文春の読者は、おそらく私と同様、そんなにロックに詳しいとは思えません。おそらく……ですけれどね、デーモン閣下が相撲の解説をしているのは知っていても、歌を歌っている姿を見たことはないかもしれません。

デーモン閣下は解説上手

こうして打ち合わせ通り、私はご本人を前にして、できるだけ失礼にならないよう気をつけながら、質問してみました。

「あの、ヘヴィメタって、なんですか」

すると、驚きましたよ。デーモン閣下は親切！　しかも説明がお上手！　私のようなロックシロウト相手に、それはわかりやすく教えてくださったのです。

「ハハハ。ロックというのは、わかりますね？」

最初に私に優しく断りを入れてから、こんなふうに話してくださいました。

「ロックがいろいろな枝葉に分かれていく中で、速さと激しさを追求したものをハードロックというんですね。♪ガンガンガン、ガガーンガンガーンガーン、タターンターンタ、バーンバーンバーンっていう感じ」

「ほうほう」

「じゃ、速くて激しければ全部ハードロックなのかというと、そうではなくて。そこからまた枝葉が分かれていって。速くて激しいけれど、ドラマティックであったり、仰々しい決めごとを取り入れる。たとえばクラシック音楽のワンフレーズを持ってきて、あるポイントに来たら全員がちゃんと、♪ダダダダーンみたいにベートーヴェンの『運命』のメロディをぴったり合わせる。そういうのを様式美というんですけどね」

「はあ〜」

「簡単に言うと、様式美の要素を入れないと、ヘヴィメタルとは認定されないんです。ハードロックに様式を持ち込むと、それがヘヴィメタルになるというわけ」

「そうかあ。ヘヴィメタって知的なんだ。もっとハチャメチャな音楽かと思ってた」

「ハチャメチャなのはパンク。速くて激しいけれど、♪うまく歌ったってしょうがないじゃーん。上手に歌うことになんの意味があるんだ〜、ってのがパンク。だけど、ヘヴィメタルは上手じゃないと駄目なの」

これは開眼でした。ロックにそういう区分けがされていたとは初耳です。確かにその前夜、「聖飢魔Ⅱ」のCDを聴いて、驚いたのです。閣下は歌がうまかった。その上手な歌を聴いているうちに、もう一つ、疑問に思ったことがありました。まるで優秀な家庭教師のように教え方が上手な閣下の優しさに付け込んで、私はさらに質問します。

「CDを聴いていて思ったんですが、こうしてお話ししているデーモン閣下はものすごく低音のダミ声なのに、歌を歌っているときの閣下の声は、ボーイソプラノのように高くないですか？　どうしてなの？」

すると、この質問にも明快な答えが返ってきたのです。

「それはね、理由があるんです。あれだけの轟音で演奏している中で、低い声で歌うとぜんぜん聞こえないんですよ。高くないと声が通らないから、だからヘヴィメタのボーカルはみんな、必然的に高い声で歌うようになったんです」

いかがですか。聞いてみるものですよねえ。こんな基本的な質問をしたら怒られるかと思って遠慮してしまった過去の数々のインタビューが、悔やまれるばかり。もちろん、お相手を選んで、「話してくれそうかなあ」と判断する必要はありますが、それにしても、「みんなが知っているふりして、実はあんまり知られていないこと」というものは、世の中にたくさん溢れているのです。そして、その根源的な質問をしてみると、ご本人が思いの外、喜んで解説してくださるケースはあるものです。

デーモン閣下のインタビューを終えた帰り道、担当編集者タカハシ青年とシバグチ女史と三人で顔を見合わせながら、話したものです。

「忘れかけていたけれど、こういうインタビューのしかたって、あったんだねえ」と。

18　お決まりの話にならないように

人物インタビューをする際、前もってその人に関する資料や作品に目を通す目的は、もちろんその人についての基本的データを把握しておくことではありますが、その他にもいくつかの目的があります。

一つは、その人物が他の場で、すでにどれほど同じ話をしているか確かめること。つまり、その人にとってその話は、常に質問されるテーマであり、その質問に対する答えを何度も繰り返すうちに、だんだん答えが固定化されている可能性があるのです。

私自身、仕事を始めて以来、必ずと言ってよいほどに聞かれる質問があります。

「仕事を始めたきっかけは？」

私はそもそも社会に出て仕事をするなんて、まったく考えてもおりませんでした。前にも触れたように、家族の間ではまことに知識、教養に欠け、特別秀でた才能があるわけでもなし、したいことがあるわけでもなしとの定評でした。そんな娘はさっさといい人を見つけて結婚し、家庭に入ることが何よりのシアワセであろう。両親も私自身も、そう思って疑いませんでしたから、

「就職？　会社に入ってなにができるの？　ましてこの不景気な時代（第一次オイルショックの後）に無能な私がたとえ幸運に就職できたとしても、きっとお茶汲み、コピー取りぐらいの役にしか立たないでしょう。しかも、数年働いたら結婚するんだし（と、当時は信じていた）。そんなことでは会社に失礼だろう。いっそ就職せず、結婚後もささやかな内職になるような技術を身につけたほうがいいんじゃないかしら」

こうして私は、子供の頃から憧れていた編み物や織物の勉強を始め、同時にお見合いに

精を出したのです。が、いずれもままならず、挫折。そんなとき、たまたまテレビ局から「レポーターをやってみないか」と誘われたのが、仕事を始めるきっかけとなりました。

多少の言い回しの違いはあるにしろ、答えはいつも同じようなものです。自分で話していても、飽きてしまいそうですが、他の答えがないからしかたがない。

この質問も、何度もされました。

「なぜ、結婚しないんですか？」

それはまあ、幼い頃から結婚こそが人生の最大目的で、当然、私はすると信じていたのですが、なぜかと聞かれると、自分でもよくわかりません。そんな答え方をすると、続いて必ず、

「高望みなんじゃないですか？」

「そんなことありませんよ。そりゃ若い頃は、背が高い人がいいとか、理系の人が理想だとか、いろいろ条件をつけていましたが、今やもう、『ズボンはいてりゃ、誰だっていいだろう』と父に言われてしまうほどですよ。自分でも最近、どんどんハードルが低くなっていますもん」

こんな話をしていた頃が、懐かしいですね。もはや、そんな質問をされることもめった

になくなりました。されるとすれば、こんな具合ですから。

「なぜ、結婚しなかったんですか？」

すっかり過去形にされている。そして続く言葉はこんな言葉。

「大丈夫ですよ。アガワさん、まだお若いんですから」

本当に「お若い」ときは、誰も「お若い」なんて、言わないのにね。

話がそれました。とまあ、そんなふうに誰もが「お決まりの質問」と、それに対する「お決まりの答え」を持っているはずです。もちろん「お決まり」になるだけあって、その質問は重要であり、誰もが疑問に思うこと。だからこそ「外せない質問」なのです。

そこで私はいつもスタッフとともに考えます。「外せない質問」ではある。だから今回も聞かなければいけない。でも、どうせ聞くなら、「お決まりの答え」にならないようにしたい。

この希望に対する明確な答えは、正直に言って、ありません。ただ、もし同じ答えが返ってきたとしても、その答えをできるだけ膨らませる努力はしたいと思います。たとえばアガワがゲストだったとしてですね。

「若い頃は背が高い人がいい」と言っている。ならば、「なぜ、背が高い人がいいと思っ

てらしたんですか」と、私が質問者だったら聞くでしょう。そう聞かれたアガワは、

「だって私が背が低いから。どうしても自分にないものを望むんでしょうね。生まれてくる子供のためとか、潜在意識のなかにあったのかもしれません」

「じゃ、今まで背の高いボーイフレンドばっかりだったんですか」

「そんなことはないけれど、一度、身長差三十五センチくらいの人とお付き合いしたことがありました。手をつなぐとね、なんだか幼児がパパに手を引っ張ってもらってるみたいで、情けなかった。声も遠くてよく聞こえないから、上を見上げてよく『え？』って聞き返してましたよ。そしたら彼、私と話をするときは膝を曲げたり、側溝に足を入れたりしてましたっけ」

「ズボンはいてりゃ、誰だっていいだろうって、お父さんがおっしゃったのは、いくつぐらいのときですか」

「二十代後半になってからでしょうか。とにかく二十代前半の頃は、『結婚は早すぎる』とか言って、男の子と出かけるだけでキンキンカン怒っていたくせに、私が二十七歳になったとき、忘れもしない、父はこう言ったんですよ。『二十七といやあ、歌舞伎の世界では老婆だ』って。ひどいでしょう。その頃から、『いちいちケチつけてないで、ズボ

ンはいてりゃ誰だっていいだろう』と言い出したんだと思いますね」

まあ、こんな話はたいして面白くないかもしれませんけれど、これは一つの例ですから。こんなふうに、「これはお決まりの答えだな」と思ったら、その答えの中をグジャグジャ探って細かく分析し、しつこく食いついていけば、きっと新たなエピソードが発掘されるはずです。

世間一般の疑問を把握する

もう一つ、資料を読む目的があります。人物資料は必ずしも本人への直接的なインタビュー記事とは限りません。本人の断りなく、勝手に載せたスキャンダル記事だったり、ときには決して好意的とは思えない記事が混ざっていることもある。そういうさまざまな角度から取り上げられた資料に目を通しつつ、それらの情報を頭に入れながら、いっぽうで少し引いたところから見るようにして、

「この人は、世間一般の人にとって、どういう見られ方をしているのだろうか」

と考えます。

「なんだかいつも暗そう」

「ちょっと偉そう」

「きっと家に帰っても、あんなふうに楽しい人なんだろうな」

世の中からは、さまざまな印象を持たれているはずです。そしてさらに、

「なぜ、あの人はあんな不思議な髪型をしているのかしら」

「どうして記者会見で、あんな発言をしたのかしら」

その人物に対する一般の人たちの素朴な疑問というものが、あるはずです。

基本的に私は、光栄というか責任重大というか、読者や視聴者の代わりに実物にお会いして、皆様の疑問を解決してこなければならない立場にあります。「そんな失礼なこと、聞けないよぉ。間近で聞く身にもなってよぉ」と、泣きそうになることも多々ありますが、でも使命は使命。少なくとも果たす努力はしなければなりません。そこで私はいつも、「いったいこの方は、世間でどういう疑問を持たれているのだろうか」と考えることにしています。その疑問をしっかり把握しておくと、自分の個人的な興味とは別に、客観的な位置が再確認できるからです。

たとえば、もし私の大好きなイケメン俳優に会うことになったとする。でもそのイケメン俳優は、最近、態度が悪くて、大事な仕事を降ろされてしまった。「可哀想に」と、フ

ァンである私は思うでしょう。でも一般の人々は、「あんな態度を取ってしまったのだから当然の仕打ちだろう。しかし彼自身はどう思っているのだろう」と受け止めているかもしれません。そういうとき、聞き手である私が、

「決してあなたのせいではないわ。そんな質問に応えなくていいのよ」

と秘かに相手に囁いて、彼に肝心なことを聞かないままインタビューを終わらせてしまったら、きっと読者や視聴者はがっかりするでしょう。そこは心を鬼にして、聞き出さなければならないのです。

だからといって、「世間に代わってお仕置きよ！」なんて態度には出ません。そんな権利は私にはありません。ただ、当事者の気持を当事者の言葉で伝えてもらいたいだけなのですから。

19　聞きにくい話を突っ込むには

橋本久美子さんにお会いしたのは、今から十五年ほど昔。ちょうど旦那様の橋本龍太郎

さんが自民党総裁に就任なさった直後のことでした。一般人、ましてメディアの人間は、政治家に対してつい批判的な態度に出がちです。国民の税金をどうしてそんな無駄に使うのだ。ちゃんと国民のほうを向いて仕事をしているのか、などと、つい目の敵《かたき》にしてしまいます。総裁夫人にお会いすることが決まったとたん、私の対談担当者のみならず、週刊文春の編集部の知り合い編集者の皆さんから、たくさんの激励の言葉をかけられました。

「アガワさん、頑張ってインタビューしてきてよ！」

「鋭く食い込んでこいよ」

そして、その極めつきが、

「あの女スパイのこと、夫人がどう思っているか、聞いてきてね」

女スパイとは、当時、マスコミで話題となっていた、「橋本龍太郎氏、中国人女性スパイとスキャンダル」という噂です。

「そんなこと、聞けませんよぉ」私は弱りました。そりゃ、マスコミにとっては大事なニュースかもしれないけれど、あるいは橋本総裁ご本人を直撃しろというのなら、それはできなくもないけれど、その問題で夫人を責めるのは、どうも腑に落ちない。奥様に責任はないどころか、むしろ被害者と言ってもいいお立場なのだから、そんな奥様をいじめるような質問を、私にしろと言われても、困ります。

「できません！」

口ではきっぱり断るのですが、読者や編集部の熱意を思うと、やはり聞かなければいけないテーマかと心が揺らぎます。そんな不安定な気持のまま、さて橋本事務所を訪ね、

「初めまして。よろしくお願いいたします」

緊張気味にご挨拶をしたら、橋本久美子夫人は部屋の奥に美しい着物姿で立っていらして、「あらぁ」と、まるで旧知の友達に話しかけるような親しみのこもった笑顔で迎えてくださった。「まあ、美しいお着物」と申し上げると、

「アガワさんにお会いするから、今日はおめかししてきたの、なんちゃってね。実は皇居で御祝の儀があって、その帰りなんです」

ちょんと袖を広げておどけてみせる、その気さくさ、柔らかい笑顔、ホンワカしたユーモアに私はいっぺんに参ってしまいました。「もしかして私、この奥様、大好きかもしれない」と直感したほどです。

「コレのこと?」

その後はゲラゲラ笑うことだらけ。橋本総裁のヘアースタイルの作り方から、「私、子供産むの趣味なの」にいたるまで、一つ一つは大胆発言にもかかわらず、その言い方がなんとも自然体で愛らしい。加えて聞き手の私を、初対面にもかかわらず、まったく警戒しているご様子がない。そんなに私を信頼して大丈夫なのかしらと、こちらが心配になるぐらいです。そんな久美子夫人を前にして、私は一人、心の中で葛藤しておりました。

――あの話、聞かなきゃ駄目かな。失礼だよねえ。でも聞いてこいって、編集長にまで言われて。どうしよう……。

とうとう私は覚悟を決めて、

「あのぉー、こんなこと、何万遍も聞かれて、さぞ不愉快な思いをされていると思うのですが、そのぉー……」

指先で「の」の字を書きながら、もじもじしていたら、久美子夫人、

「あら、コレのこと?」

右手の小指を立てて、ニッコリ笑っていらっしゃるではないですか。

「あ、まあ、はあ……」こちらのほうがシドロモドロ。

「もう、いっぱいあって数え切れない、なあーんて（笑）」

「いちいち気にしていたら大変ですもの」

「それに、逆に私だって、後援会のご主人様方とか秘書さんと、二人でお話ししたりすることもあるでしょう。お互いに疑い出せば切りがない場面っていっぱいあるんだけれども、私ども、忠誠を誓い合っておりますから」

今度は左手の薬指を立てて、結婚指輪を見せながら、まるで子供が自分の宝物を自慢するかのような得意げな仕草をして笑ってくださいました。

もちろん、その久美子夫人の発言の裏には、こんなスキャンダルを立てられてつらいとか、旦那様に憎まれ口を叩きたいとか、決してお気楽に処理するだけでは収まらない悔しいお気持があったかもしれません。あるいは、そんな悔しい思いを胸にしまい、政治家の妻として、世間の風評にもめげない毅然たる態度で臨もうと覚悟を決めていらしたのかもしれません。でも、それらをすべて加味しても余りある、そのときの橋本夫人の私に対するケロリとした明るい対応に、私は完璧にノックアウトされてしまいました。

さすが総裁夫人！

その後、久美子夫人と再会することが重なって、今では畏れ多くも親しくさせていただいているのですが、初めてお会いしたときのあの気さくさは微塵も変わることなく、私にとって理想の女性第一号となっていただいております。

あのとき、聞きにくい質問をあえてしたおかげで、かけがえのない方と出会うことができた私は、まことに果報者です。

20 先入観にとらわれない

資料を読む目的の一つが、「この人は、世間でどんな人間と思われているか」を探ることだと先述しましたが、それはつまり、「こんな人だろう」と思われている部分ではない新たな側面を、インタビューによって発見したいという気持があるからです。「したい」というより、実はたいていの場合、発見することになります。

「へえ、意外だった……」

読者や視聴者のみならず、聞き手となった私自身が、そういう言葉をつい吐きたくなるようなインタビューに仕上がったときは、そりゃもう、「しめた！」と嬉しくなります。

かねがね私は、他人が作った「イメージ」というものは、その人のほんの一部でしかないと信じています。

若い頃、友達に言われたことがきっかけでした。

「そんなことするなんて、アガワらしくないわ」

どんなことをして、そう言われたのかは覚えていないのですが、たぶん、友達は私のことを買いかぶっていたのだと思います。もっときちんとした人かと思ったのに、そんなにルーズだったとは呆れたわ。そういうニュワンスで言われたような気がします。

私はその言葉に引っかかりました。私がルーズだったことに対し、「よろしくない」と叱られたのだとしたら、それはそれで納得します。でもルーズであることが、「アガワらしくない」と決めつけられたことについては、「それは違いますよ」と反論したくなったのです。反発すると同時に驚きました。その友達は、私がもっと几帳面で真面目な人間だと思っていたらしいのです。

「そんなふうに私を見ていたのか」

まんまと期待を裏切って、その友達にはがっかりされました。

さらに別の日、別の友達に、こんなことを言われました。

「あんな人と仲良くするなんて、アガワらしくないわ」

その発言にも驚きました。そう言った友達は、「あんな人」とは明らかに性格も趣味も違っていました。仮にその二人をA子とB子ということにしましょう。

もし私抜きでA子とB子が出会っていたら、仲良くならなかったかもしれないと思うほどタイプの違う二人でした。でもA子もB子も、私にとっては大事な友達でした。にもかかわらず、A子は、私がB子と仲良くなることを不快に思っていると言うのです。

「そんなことを決めつけられる筋合いはない」

そのとき、私は発見しました。

人はそれぞれに、それぞれの人に向き合う顔がある。逆に言えば、一人に対して自分のすべてを見せているわけではない。しかし、向き合っている相手からしてみれば、自分に向けられている顔がその人のすべてに見えてしまう。だから、自分の知らない「思いも寄らない顔」を発見したとき、ショックを受けるのではないか。

おそらく私が真面目なA子と付き合うときは、比較的真面目な側面を出していたらしいのですが、勉強より遊ぶことのほうが好きなB子とは、ちょっと不真面目な話や接し方をしていたのかもしれません。B子とふざけ合っている私を目撃したA子は、「あんなアガワを見たのは初めて。B子なんかと付き合うのは、アガワのためにならない」と思ったのでしょう。でも私にしてみれば、どちらも私であることに変わりはありません。

そのときの経験によって、私はこんな喩えを思いつきました。すなわち、人は皆、三百六十度の球体で、それぞれの角度に異なる性格を持っていて、相手によってその都度、向ける角度を調節しているのではないか。学生時代の友達には北北西の方角を向けるかもしれないけれど、恋人の前では南南西の方角に自分をさらけ出している。どちらも本人なのだが、相手の目には片方が「その人らしくない」と見えてしまいます。でも、もし人が、誰を相手にしても三百六十度の自分をすべて見せてしまったら、早晩、飽きられてしまうのでしょう。いつまで経っても未知の部分があるからこそ、その人に対する興味が尽きることがないのだと思います。

「毎日、顔を突き合わせているのに、『へえ、この人にこんな面があったのか。ずいぶん知り尽くしたと思っていたけれど、まだ知らない部分があるんだなあ』と新鮮に驚くことがときどきあるんですよ。だから飽きませんねえ」

誰の発言だったか、とんと思い出せないのですが、あるおしどり夫婦の言葉に、なるほど、だから長続きしているのかと合点したことがあります。そういう夫婦になりたいな。

憧れ続けて幾星霜……。

「意外性」は重要

それはさておき、申し上げたいことは、「おそらくこういう人だろう」と当てをつけてお会いしてみたら、「こんな人だったのかあ。意外だねえ」という結果で帰ってくるケースが少なくないということです。それは当然で、それまで自分たちが認知していた相手のイメージは、その人のほんの一部に過ぎなかったからです。

この「意外性」というものが、インタビューをするときは大変に重要なポイントになります。「あら、意外！」と思う部分がちらりとでも出てきたとき、私は「やった！」と叫びたくなります。今まであまり知られていなかったゲストの別の部分、思いもよらなかった新たな側面を垣間見ることができれば、そのインタビューは成功したと言えるのではないでしょうか。

十九年、週刊文春の対談を続けて、私は何回、この言葉を吐いたことでしょう。

「いい人だったねえ……」

帰り道に対談チームの仲間に向かってそう言うと、

「なに言ってるんだか。会う前はあんなに、『あー、帰りたい』とか『会いたくない』とか言っていたくせに」

いえ、「会いたくない」と言ったのはですね、相手のことを嫌いだからではないのです。上手に聞き出す自信がないから、怖じ気づくから、「帰りたい」のです。でも実際にお会いしてみると、想像していたよりはるかに話がしやすくて、面白くて、愉快な時間を過ごすことができて、そうなると、私はたちまち現金なニコニコ顔になってしまう。

もちろん、中には会う前のみならず、会ったあとも「相性の悪い人」がいないわけではありません。でも、そういう人でさえ、想像していた面とは異なる、新たな「嫌な部分」や、あるいは案外、「魅力的な部分」、「尊敬に値する部分」のあることを発見して、「聞いてみなきゃ、人はわからないものだねえ」とつくづく実感することが多いのです。

Ⅲ　話しやすい聞き方

21　相づちの極意

臨床心理学者の河合隼雄さんにお話を伺ったときは、人の話を「聞く」ことの大切さを改めて認識させられました。

河合さんは文化庁長官も経験なさいましたが、基本的には「セラピスト」のような仕事がご本業。心にさまざまな傷を抱えるたくさんの方々のカウンセリングをしておいででした。そこで私はさっそく、

「患者さんに、どんなアドバイスをなさるのですか」

と伺いました。すると河合さん、

「アドバイスは、いっさいしません」

え、アドバイスをしないの？　意外でした。じゃ、カウンセラーは何をするのかしら。

「僕はね、ただ相手の話を聞くだけ。聞いて、うんうん、そうか、つらかったねえ、そうかそうか、それで？　って、相づちを打ったり、話を促したりするだけ」

とおっしゃる。

「どうしてアドバイスをなさらないんですか」

それには理由がありました。

かつて河合さんはある若者の悩みを聞いて、それに対して、「こうしたらどうだろう」という提案をなさったことがあるそうです。若者は素直に河合さんのアドバイスを受け入れて、その後、実行した。それからしばらくのち、若者は再び河合さんのところに訪ねてきて、

「だいぶ元気になりました。先生のアドバイスのおかげです」

よかったよかった。じゃ、また何か心配なことが起こったら、いつでも相談にいらっしゃい。河合さんは安堵して若者を見送ったのですが、さらにしばらくのち、若者が河合さんのところへ、今度は怒ってやってきた。

「先生の言う通りにしたら、ひどいことになった。どうしてくれる」と。

「つまり、他人のアドバイスが有効に働いたときはいいのですが、何かがうまくいかなくなったとき、そのアドバイスが間違っていたのだと思い込んでしまう。すべての不幸をアドバイスのせいにして、他の原因を探さなくなってしまうのです」

カウンセラーの責任逃れのように聞こえてしまうかもしれませんが、そうではない。本当に心の病を治そうとするならば、地道にその原因となるものを探し出さなければならない。にもかかわらず、他人の指示に頼ってしまうと、うまくいかないのは全部、そこに原因がある、こうしろと言ったアイツのせいだと勘違いしてしまう恐れがあるのです。だから僕はアドバイスをしない。病気の治療には役立たないからですと、河合さんはそんなふうにおっしゃいました。

私は単なる聞き手です。相手の心の悩みを聞くことが仕事ではありません。しかし、インタビューの仕事をしていると、ときどき、「あー、なんかアガワさんに話したら、自分の頭の中の整理がついた」と言われることがあります。あるいは、「こんなこと、ずっと忘れていたのに、今日、思い出した」と驚かれることもあります。決して私が相手の頭の中を整理してあげようと意図したわけではありません。「ほらほら、他にもなんか思い出すことがあるでしょう、ええ？」なんて、無理やり思い出させたりしたこともないはずです。にもかかわらず、お相手は、最後にふっと、そんな言葉を吐いてくださる。

「今、気がついた。私って、そう考えていたんですね」

話を聞く。親身になって話を聞く。それは、自分の意見を伝えようとか、自分がどうにかしてあげようとか、そういう欲を捨てて、ただひたすら「聞く」ことなのです。相手の話の間に入れるのは、「ちゃんと聞いていますよ」という合図。あるいは、「もっと聞きたいですねえ」という促しのサインだけ。そうすれば、人は自ずと、内に秘めた想いが言葉となって出てくるのではないでしょうか。

冒頭にお話しした通り、私は週刊文春の対談ページを始めるにあたって、城山三郎さんのような、『名相づち打ち』になることを目指してきました。でもときおり、それだけでは大事な話を引き出すことができないのではと、迷ったこともあります。しかし、文春対談を始めて四年後、河合隼雄さんに出会い、

「ただ聞くこと。それが相手の心を開く鍵なのです」

そう教えられ、後ろ盾を得た気持になりました。

特に日本人にとって、「相づち」は欠かせないもののように思われます。

留守番電話が普及した当初、年配者の中に「どうもあの、留守番メッセージってのを入れるのが苦手でね」とおっしゃる方が、かなりいらっしゃいました。なるほど私とて、最初の頃は、ピーッという発信音のあとに、「さあ、喋りなさい。ほら、話しなさい」と言われても、無言の機械に向かって一人で喋り続けることが苦痛に思われたものです。

どうしてだろう。

考えたのですが、あれはどうも、合いの手が入らないからではないでしょうか。もし留守番電話に「合いの手入り電話」というものが開発されたら、ずいぶんメッセージが残しやすくなると思います。

「あー、もしもし」

「ハイハイ」

「アガワですが、実は明日のゴルフのことで」

「ほおほお」

「ちょっと原稿の仕事が終わらなくて」

「あらあら」

「大変残念なのですが、欠席させていただいて……」

「まあまあ」

「よろしいでしょうか？」

「ふんふん」

「すみません。直前になってこんなこと言い出して」

「いやいや」
「是非、また次回、誘ってください」
「ハイハイ」

こんな機能のついた留守番電話ができたら、なんか話しやすいような……ってこともないでしょうかね。

日本人は相づち好き

それは冗談としても、日本人が合いの手や相づちを求める理由は、おそらく言語の成り立ちにも関係していると思われます。

大学時代、言語学の授業で習ったところによると、日本語の肯定か否定かは、欧米の言語などと異なり、文章の最後に決定されるんですね。すなわち、英語の場合なら、「この料理はおいしくないねえ」と言う場合、「This dish is not so good」という具合に、主語の直後に肯定か否定かを決定しなければならないのに比べ、日本語だと、「この料理はおいし……」まで、肯定否定を表明しなくてもいい。「おいしくないなあ」と心のなかで思っていても、「おいし」まで言ってみて、目の前にいる上司の顔色をみたら、「ずいぶんおいしそうな顔をしている」ので急遽、「いですよねえ」と自分の主張を引っ込めることができる。つまり、相手の反応を窺いながら、自分の言うことを決められるという、まことに便利な言語のつくりになっているというわけです。

こうした言語のつくりのせいか、日本人はとかく、自分の主張より、とりあえず相手やまわりの状況を見てから自分の意見を決める傾向があるように思われます。政府もしょっちゅう、発表するではないですか。

「諸外国の反応を鑑みつつ、判断をさせていただきたいと思います」

相づちも同様。日本人は相手の反応をいちいち細かく確認しながら、話をしたいのです。たとえば誰かを相手に自分が喋っているとき、途中でまったく相づちを打ってもらえないと、「あれ？　私の言っていることが間違っているのかしら」とか、あるいは「ちゃんと聞いてくれているのかしら」と不安になってくることはありませんか。逆にときどき、「うん」とか「そうそう」とか「ふんふん」とか声を挟んでもらうと、こちらもリズムがついて、話し続ける元気が湧いてくる。「それでそれで」なんて促されたら、「そんなに期待されているのか」とますます自信がついて、話す側はご機嫌になるでしょう。民謡の合いの手も同じような役割なのでしょうね。

「ハアー、よいよい」

「さ、どっこいしょ」

「よいよい、よいやさっと」

これらが入るのと入らないとでは、どうも歌の勢いが違うように思われます。

知り合いの編集者氏に、いつも決まった相づちを打つ人がいます。

「昨日、実は家の中で転んじゃってね」と言うと、

「ああ、そうですか」

「机の角に鼻を思い切りぶつけちゃって、ものすごく出血したんですよ」

「ああ、そうですか」

「で、血が止まらなかったのでその晩は鼻に脱脂綿をつめて寝たんですが、今朝、お医者さんに行ったら、幸い、骨は折れてなかったんで、安心したんですけれどね」

「ああ、そうですか」

「そういう騒ぎがあったもので、申し訳ないんですが、原稿、まだ、書けてないんですよ」

「ああ、そうですか」

「締め切り、今週末まで延ばしていただきたいんですが……」

「ああ、そうですか」

なんだか意気消沈してくるのです。怒っているわけではなさそうだし、でも驚いている様子もない。いったい私が締め切りの引き延ばしのお願いをしていることを、どう受け止めてくれたのだろう。私が怪我をしたことに、同情してほしいとは言わないけれど、少しはびっくりしないのかしら。

「それって、癖ですか？」

と聞いたことがあります。すると、

「え、何が？」

「『ああ、そうですか』って、いつも言うでしょ」

「ああ、そうですか？」

彼に悪気がないことは、ニコニコとした顔を見ればすぐにわかるのですが、こういう相づちは、喋る側にとってあまりリズムに乗りやすいとは言えませんね。

テレビと雑誌の違い

実は、この相づちについては私自身、週刊文春の対談が始まった当初、決して上手だったわけではありません。

それまで私の仕事の中心はテレビでしたので、つい、テレビのインタビューの方式を使っていたのです。テレビカメラの前でインタビューをするときは（生放送の場合は違うかもしれませんが）、「できるだけ相づちを打つな」と教えられました。なぜなら、ゲストが喋っている途中で、聞き手が「はあはあ」「なるほど」「ふーん」などと声を挟むと、ゲストと聞き手の声が重なって、「あとで編集がしにくいんだよ。声を出すな」というわけです。

だからといって、ただ黙ってマイクを向けているだけでは、話している側も「ちゃんと聞いているのだろうか、このインタビュアーは」と不安になるでしょうから、私はいつも、喋っているゲストの前に座り、あるいは立って、相手の顔をじっと見つめて声は出さず、黙って大きく、できるかぎり相手にわかりやすいよう、深く頷くようにしていました。

その癖がどうやら週刊文春の対談においても、出ていたようです。私自身はまったく気づかなかったのですが、あるとき対談の構成を担当しているライターのシバグチ女史から指摘されました。

「アガワ、もうちょっと相づちを入れてくれないかな。じゃないと、ゲストの喋りが延々と続いて、読みにくい対談になっちゃうのよ」

講演原稿や一人語りの原稿とは違い、対談原稿の場合、一人の語りが長く続くと、会話としてのリズムがつかず、読者にとっても読みにくいものになってしまう。だから聞き手はちょくちょく反応を示しなさいということだったのです。

「え？　私、反応しているつもりだけど」

「でも、速記録に質問以外のアガワの言葉がまったく残っていないのよ」

そこでハタと気がつきました。たしかに私は声を出していなかった。そうか、雑誌の対談では、むしろ頻繁に声を挟んだほうがいいのだとわかり、それは新鮮な発見でした。

22　「オウム返し質問」活用法

相づちにもいろいろな種類があります。「へえ」や「ほおほお」や「ふーん」などの軽いものから、もう少し深く相手の言葉に納得した場合は、「なるほど」と言うこともあります。相手と気さくに話のできる間柄だったときは、「なるほど」ではなく、「そっかあ」なんて言うこともありますね。実際に話を聞いているときは、それほど使い分けが上手にできていないかもしれませんが、それが誌面に載るときは、同じ相づちが何度も続くと、読者が読みにくくなるでしょうから、とりどりに振り分けて反応するように書き直すこともあります。

「えっ？」というのは、本当に聞こえなかったときの反応ですが、ときには「もう一度、話してほしい」というときに使うことがあります。

でも一度、俳優の西村雅彦さんにインタビューした際、それを指摘されました。

「僕、人に『えっ？』って言われると、傷つくんですよ」

「？」

「昔ね、聞こえないと『えっ？』っていう友達がいて、なんでこの人は『えっ？』って聞けるんだろうと思って」

「スミマセン」

「いや、非難してるんじゃなくて。それでいつか僕も『えっ？』って聞き返せるようになってやろうって、決意したんですよ」

言われてみれば、たしかに「えっ？」という言葉にはちょっと棘があります。「えっ？」の裏には、「聞こえないよ、そんな小さな声じゃ」とか「まさか、そんなこと言うつもり？」とか、そんなニュワンスが見え隠れする。だとしたらやはり、「えっ？」には相手を軽く侮蔑する意味が込められているのではないか。言っている本人にそのつもりがなくても、言われた相手は、そう受け止めることがあるのかもしれない。

西村さんに指摘されて以来、私は「えっ？」という言葉を発するたびに、「しまった。言っちゃった」と後悔します。同等の関係ならまだしも、上司や目上の方を相手にして「えっ？」はいけませんよね。聞こえなかったときは少なくとも「はい？」と聞き返さなければと、心しております、つもり。

あと、「オウム返し」も有効です。

「十六歳のとき、初めて家出して、沖縄まで行っちゃったんです」

「沖縄まで!?」

なんて具合に。

「僕ね、実はものすごく怖がりなんですよ」

「怖がり？」

なんて具合。

この「オウム返し質問」は、概して驚いたときに使いますが、その言葉を再度、ピックアップして叫ぶことによって発した語り手自身の心を喚起させる効果があるのでしょうか、「オウム返し」の次につながる答えは、その言葉をさらにかみ砕いた話になることが多いですね。

「僕ね、実はものすごく怖がりなんですよ」

「怖がり？」と繰り返した私に対し、

「そうなんですよ。僕、小さい頃からお化け屋敷とか異常に怖がって、雷もいまだに大嫌いですし」

なんて具合。

一つの答えをさらにかみ砕いて話してもらいたいと思ったときに便利なのは、オウム返し以外にも、「具体的には？」や「たとえば？」などです。

昔、アメリカに一年間住んでいたとき、英語が流暢とは決して言えないのにもかかわらず、英語でインタビューをしなければならないことになりました。どうしよう……。そう思っていたとき、ある人に教えられたのは、「相手の言っていることがわからなかったら、こう聞けばいいんだよ。『Please be more specific』ってね」。

つまり「具体的に」という意味ですが、こういう問いかけのしかたなら、私の英語力の欠如を知られることなく、しかも最初の答えよりわかりやすく答えてくれるはずだというのです。たしかに、「あなたの英語がわからないので、もう一度、話してください」とお願いするよりはるかにカッコいい。こりゃ、便利な言葉を教えてもらったと、アメリカ滞在中はあちこちで乱発したものです。

「ウッソー」「マジっすかあ」

でもこれは、日本語の場合も同じです。日本語がわからないわけではないけれど、どうもおっしゃっている話の内容がよく理解できない、あるいは抽象的過ぎてピンと来ない、などというときに、「たとえば？　具体的には？」と問いかければ、相手は必ず、別の言葉を使って、よりわかりやすく答えてくれるに違いありません。

このほかにも、話を先に促すのに有効な「それで？」「で？」「それから？」。理由を説明してもらいたいときは、当然のことながら、「なぜ？」「どうして？」。そして「オウム返し」以上に驚いたときは、「ホントにぃ？」「ウッソー」、相手によってはさらに軽薄に、「マジっすかあ」なんて言ってみることもあります。あくまでも、相手によってですが。

いずれにしても相づちや、相づちほどの短い言葉を挟むことにより、相手の話をさらに円滑に進めることは可能です。必ずしも聞きたいことを一つずつ、主語、述語のついたきちんとした質問構文にしなくてもいいのです。いわば、相づちとは、燃えさかる薪ストーブの火を、じっと見守って、少し弱くなりかけたときにときどきあおぐ団扇のようなものって、そんな比喩じゃますますわからないかしら。

「えっ？」と、突っ込まれそうだから、相づちに関してはこのへんで終了。

23　初対面の人への近づき方

初対面の人に近づこうと思うとき、皆さんは、どうしますか。

しばらく相手の行動を観察して、こちらに危害を加えそうにない動物だとわかってから動き出す慎重派もいるでしょう。積極的に自分から声をかけ、単刀直入に「仲良くなろう」という意思を伝える人もいるでしょう。あるいは、相手が動くまで、こちらの意思は見せないようにする人がいるかもしれません。

私は、いつ頃からそうしているかは覚えていませんが、だいたいの場合、二番目のタイプに近い。笑顔を作って機嫌良くして、でも会話のリーダーシップを握るほどの学識や教養は持ち合わせてないし、照れ臭いという気持も働くので、とりあえず、自分自身がニコニコ動き回って元気なところを示し、必要以上にはしゃいでみせる。つまり、こちらが愛想良くさえしていれば、たいていの人は機嫌良くなってくれるはずだと信じておりました。

ところがあるとき、新しい仕事場で、新しい仲間との親睦会において、見知らぬ人たちと仲良くしなければならない場面に出くわした。そして私がいつも通り、よりによってその人々の中でもいちばん、人見知りと思われる人のそばに近づいていって、根掘り葉掘り質問したり、からかったりしたのです。すると、その日は気づかなかったのですが、どうやら私のそういう押しつけがましい態度が、気に入らなかったらしい。

それからだいぶ経ったある日、私が、「単に照れているだけで、人との付き合いが不器用なだけなんだ」と信じ込んでいたその人に、仕事場での会議中、他の人々の面前で怒鳴りつけられました。

「もっと真面目に勉強してこい！　甘ったれてるんじゃない！」

ヒエーと、跳び上がりました。その人に指摘されたことはまんざら的外れではありませんでした。甘ったれていたつもりはないけれど、怠けていたのは事実かもしれない。しかし、その人とはすでに仲良くなっていたつもりだったので、そこまで憎々しげな顔で怒鳴られることになろうとは思いもよらなかったのです。その後、その人とはギクシャクしたまま、気楽に口がきける関係に戻ることはできませんでした。

この事件は、私にとってちょっとしたトラウマになりました。トラウマというと大げさですが、かすかに傷つき、今ではいい教訓になっています。愛想良く近づいていけば、誰だって自分に好意的になってくれると思うのは間違った信仰であり、同時に驕りでもあるということを学びました。

なんだ、じゃあ愛想良くする必要はないんだ、なんて思わないでくださいね。そういうことを言っているのではないのですが、つまりは相手のペースや段取りや心構えを無視して、一方的に自分のリズムを押しつけると、人によっては喜ぶどころか、むしろ警戒する場合があるということです。

愛想にもいろいろな種類があると思われます。元気いっぱいの愛想。静かな愛想。ちょっとフェロモン入りの愛想。一見、無愛想な愛想……。

小説家の渡辺淳一さんに初めてインタビューをしたときは、怖かった。「初めまして。本日はよろしくお願いいたします」と私が名刺を差し出して頭を下げたとき、渡辺さんは「ああ」と答えるだけで、なんだかひどくめんどくさそう。ああ、きっとこの対談に気乗りがしていらっしゃらないんだなあと、その時点でまずうろたえます。するとそばに控えていらした渡辺さんの秘書嬢が、バッグの中を探り、どうやら私に渡すべき名刺を探しているらしいのですが、なかなか見つからない。とうとう、

「先生、先生。お名刺、お持ちでないですか」

すると、渡辺先生が一言。

「ない」

そのあっさりとした言い方を聞いて、私はそのまま帰りたくなりました。

こりゃ、今日は大変だぞ。渡辺さん、相当にご機嫌斜めだぞ。

帰るわけにもいかず、そして対談は始まったのですが、小さい声ながら、渡辺さんは私の拙い質問に思いの外、丁寧に答えてくださいました。ひとまずホッとしつつ、でも恐怖はまだぬぐえません。

渡辺淳一さんの逆質問

ちょうど話題は、その頃、ベストセラーになっていた渡辺さんの著書『化身』についてでした。

「僕はね、人間が大好き。なんといっても人間は変わるからね。すごく真面目な人がとんでもないことをしたり、とても清純な人が淫乱になったり、変貌するところがチャーミングで面白い」

さっきまであれほど不機嫌そうだった渡辺さんのお顔がだんだん柔らかくなってきた。その笑顔に乗じて私は尋ねました。一生、愛し続けられると信じていても、人はどうして気持が変わっちゃうんでしょうね。すると、

「その変わるところが素晴らしいんだよ。だからこそ喜びや哀しみがあり、進歩があるんだから」

表情が柔らかくなるどころか、だんだん発言が積極的になっていらした。そして、

「女の場合、深い関係に入ると、そこから男がぜんぶ良く見えてくることがあるでしょう」

あるかぁ？

「いや……、どうでしょう……」

「嫌な男で、泣く泣く強姦のように関係したけれども、その男と肉体関係を重ねているうちに、そういう荒々しさのなかの男の優しさがわかってきて、やがてベタ惚れになる。そういう変貌をするから、人間って素敵なんだ。そういう経験、ありませんか」

唐突なる逆質問に私は動揺し、

「いえ、あいにく、まだ……」

すると渡辺さんはクックックと笑われてから、

「そういう経験をしてから、また君と対談をしてみたいものだね」

どうやら渡辺さん、男の幸多しとはとうてい見えぬ私をからかっていらした節がなきにしもあらず。それにしても誰の変貌がいちばん激しかったかと言ったら、渡辺さんご自身の、対談前から対談後の変貌ぶりは、それは驚くばかりでした。

でもその後、現在に至るまで、渡辺さんには何度もお目にかかっておりますが、最近、わかってきました。これは渡辺さん独特の「相手の心をつかむ」戦略なのではないかしらん。

渡辺さんは講演をなさるときも、最初は決してにこやかとは言い難い。何度か渡辺さんの講演を伺ったことがありますが、壇上に立ち、マイクに向かうや、いつも声は小さめで笑顔はほとんどない。あれ、今日の講演者はなんだか不機嫌そうだぞ。大丈夫かなあ。壇上の渡辺さんを見上げる観客は一様に、不安顔です。椅子の背から身体を離し、少々前のめりになってコトの成り行きを見守ろうと構えている。そこへ、

「離婚というのはね、互いに忙しければ、しない。暇なときにあれこれ余計なことを考えるから離婚するんです。だいたい芸能人の離婚は、たまの休みがあったあとに決まることが多いね」

なんて話をなさるので、観客は思わずガハハと笑ってしまいます。なにしろそれまで渡辺さんが怒り出すのではないかと心配していたぶん、そのいかめしいお顔でそんな可笑しい話をしてくださるとは予想外だという気持も加味されて、ますます観客は喜ぶ。

渡辺さん、お上手だなあ。ご本人がそれを意識されているのかどうかは存じませんが、こういう初対面の人への近づき方もあるんだなあと、つくづく思います。

いつもニコニコしている人に優しく接してもらうより、怖そうな顔をしている人に優しくされるほうが、なんとなく得した気持になりませんか。苦虫をかみつぶしたような顔の、

でも実は優しい人に出会うと、ちょっとうらやましくなります。

しかしこればかりは、真似してできるものではないのですね。私が突然、眉間に皺を寄せて、初対面の人の前で、「ああ」と口数少なく挨拶をしたら、なんだ、感じ悪い女だなあ、誰が口をきいてやるもんかと、その場で憤慨されるのがオチでしょう。

人にはそれぞれの愛想の作り方というものがあるようです。そしてそれほどに、人によって初対面の人の前での構え方が違うことをよく承知しておかないと、スタート地点で失態を演じる危険があります。ひたすら愛想良くすれば、相手は必ず心を開いてくれると思い込みすぎると、私のような失敗をするかもしれませんぞ。

24　なぐさめの言葉は二秒後に

対談の連載を始めたばかりの頃、文春の上層部の方に、「アガワさんは対談の中で『そんなあ』と応えることがずいぶん多いね」と指摘されたことがあります。その指摘の裏にどういう意味がこめられていたのか、そのときはよくわからなかったのですが、おそらく、

「同じ相づちを繰り返し打つと、読んでいて、やや目障りだ」という意味と、もう一つ、「そういう曖昧な受け答えには相手に対する誠意が感じられない」ということだったのではないかと理解しています。

たとえばお相手が、

「僕はもうすっかり売れなくなってしまったから、そろそろ引退しようかと思っているんですよ」

とおっしゃった。その言葉に対して、どう反応すればいいのかと戸惑った末、私はよく、「そんなあ」を使っていたのだと思います。相手が謙遜して発言したとき、きっぱりと、

「そんなことありません！　売れてないなんてことは断じてありません！」

そう言い切るほどの自信はない。責任も取れない。でも、

「本当に売れなくなりましたねえ。たしかに引退するタイミングですねえ」

なんて、ご本人を前にして、よほど親しい間柄なら冗談半分に言えるかもしれないけれど、そうでない場合は、とてもそんなきつい言葉を発することはできない。お世辞を言いすぎるのもはばかられるし、さりとて相手を傷つけては可哀想。なんとかなぐさめる手立てはないものかと思った末に、「そんなあ……」という、いかにも中途半端な言葉がつい、

出てしまったのです。

「そんなあ」発言を注意されて以来、そのような場面において、どう対処するかは私のインタビュー仕事における課題の一つになっております。

きっとご本人は、謙遜しつつも優しい言葉を待っているのです。気持が落ち込んでいるからなおさら、自分の漏らした気弱な発言に、相手がどんな反応を示してくれるか、耳をそばだてて待ち構えているはずです。そういう人に対して、どんな言葉を投げかけることが、最も適切なのでしょう。

商売柄、プロのヘアメイクさんに髪をセットしてもらったり、お化粧をしてもらったりする機会が多々あります。ババールとみんなが呼んでいる仲良しの大御所メイクさんにお化粧をしてもらったときのこと。彼はいつも、若い助手を連れてやってきます。鏡の前に私を座らせて、助手嬢に小声で指示をしつつ、それはテキパキと仕事をなさいます。

あるとき、私が鏡に映るババールの若手助手嬢に向かって、

「まあ、あなたの肌って、ピッチピチなのね。うらやましいなあ」

本当に驚くほど、張りのあるピンク色のピチピチ肌だったので、驚いてつい、そう言ったのです。助手嬢が、いえいえと照れくさそうに顔を横に振りました。続いて私は鏡に映

る自分の顔に視線を戻してみると、なんと情けなや。

「あーあ。それに比べて私の顔のひどいこと。このシワシワ肌。ほっぺたもすっかり垂れてきちゃった。もうおばあちゃんの顔だなあ」

助手嬢が、ポカンとした顔のまま、黙っています。するとそこですかさず師匠のババールが、

「あんた、黙ってるんじゃないのよ。そういうときは、『そんなことありません！』って、すぐ言わなきゃ！」と助手を叱りつけたのです。助手嬢は慌てて、「すみません」と謝ってから私に向かい、「そんなことありません」。

するとババールが、

「今頃言っても遅いのよ。即座に言わなきゃ意味ないの！」

私は笑ってしまいました。そこで試しに、

「ねえ、ババールさん。私の髪の毛、すっかり細くなって、なんだか禿げてきたみたい」

するとババールは、私が最後まで言い終わるより早く、

「そんなことありません！」

その間髪を入れぬ反応に私は驚きました。しかし、その間髪も入る余地のないほどの素

早すぎる反応を聞くと、いかにも強引に口封じをしているようで、やや信憑性に欠けます。本当は禿げているのに、もしかしたら隠しているのかもしれない……。猜疑心が湧きます。

「私、すごく太ったでしょう」

「いいえ、太ってません！」

どうでしょう。なんとなく、傷つきませんか？　本当は心の中で「太ったな」と思ったけれど、そう思った気配を察知されたくないので即座に否定したかのように見えます。かといって、

「私、すごく太ったでしょう」

と言ったあと、ずいぶん間があってから、

「いいえ。ちっとも……」

反応が遅い分、さては、なんと答えたものか言葉を失った、あるいはもっと良からぬことを考えたのではないか。疑いたくなって、それはそれでやっぱり傷つく。ならば、どれくらいの間で否定してもらうといちばんなぐさめられた気持になるかというのを、ババール、助手嬢、私で研究してみることにしました。

実験の結果、だいたい二秒ぐらいが妥当ではないかという意見で一致しました。三秒で

は長すぎる。でも一秒だと、わざとらしい。やっぱり二秒ぐらいがいいのではないかしらね。

と、それは半分、冗談としても、大切なのは、返す言葉の種類ではなさそうだということがわかってきたのです。たとえばそのときの言い方や表情、動作。言うときのスピードやトーン。それらを総合して、相手に「ああ、本心で自分をなぐさめてくれているんだな」とわかれば、それでいいのではないか。

相手が謙遜のつもりで卑下した言い方をしたとき、あるいは自分を否定するような発言をしたとき、それに対して、どの言葉を使うのがもっとも適切であるか。そこにはたぶん、決まりはない。言葉でなく、その言葉に込められた気持がきちんと伝わりさえすれば、相手の心を安心させられるのではないかと思うのです。

筑紫哲也さんに褒められた取材

筑紫哲也氏のニュース番組のアシスタントを務めていた時代、長野県の伊那谷へ、一人暮らしをする高齢者の取材に出かけたことがあります。八十歳ぐらいのおじいさんが、木造の大きな家に一人で暮らしていらっしゃる。子どもたちはそれぞれに独立し、ふもとの街へ出て行ってしまった。連れ合いのおばあさんはすでに亡くなり、いつからかおじいさんは一人で家と畑を守りながら生活をしていました。家の前の小さな畑を耕すほどの元気はかろうじて残っているものの、いつ病気や怪我で倒れるか、保証のかぎりにないほど、じゅうぶんに年を重ねてきた。ときどき様子を見に来てくれるケアのおばさんが、

「おじいちゃん、大丈夫？　おかずを作ってきたから食べてね」

などと声をかけてくれる以外は、ほとんど人に会うこともない毎日です。私はおじいちゃんの隣に座り、炬燵に足を突っ込んで、インタビューを始めました。寂しくないですか。お子さんやお孫さんに帰ってきてもらいたくはないのですか。そんな質問をするうちに、

「どうせまもなくお迎えがくるんだから、もう、いいんですよ」

おじいさんが笑いながらポツリと呟いたのを聞いて、私はなんだか哀しくなって、

「そんなこと、ないですからね。そんなこと言っちゃ駄目ですよ」

つい、おじいさんの膝をパチンと叩いて、叱りつけてしまいました。

その取材の様子が番組の中で流れ、それを見ていた筑紫さんが、ビデオ画面を指さしながら、おっしゃったのです。

「ああいうこと言うところが、アガワさんだねえ」

ああいうこと？　どういうこと？　なにかいけないインタビューをしたのでしょうか。

「へ？」尋ねると、

「なかなか、できないよ。あんなふうに反応することは」

どうやら褒められたらしいのですが、私にはピンと来ませんでした。なにしろそれまで、インタビューをして人に褒められたことがほとんどなかったので、私のインタビューのどこがよかったのか、よくわからなかったのです。「そんなあ」を連発して注意された私が、同じような言葉、「そんなことないですよ」と反応して褒められる。「そんなあ」と「そんなことないですよ」の間に、いったいどういう違いがあるのだろう。

これがまあ、言ってみれば、相手の謙遜発言に対する間の置き方と同じようなものではないでしょうか。つまり、相手の発言にきちんと誠意を示すことができているか。誠意がしっかり相手に伝われば、その一言がなんであろうとも、どんな言葉を使おうと、あまり関係ないのかもしれないと、最近、思えるようになりました。

使える台詞

先日、久しぶりにババールと仕事をして、新たな発見がありました。私がいつものよう

に鏡の前に座り、メーキャップや髪の毛のセットをしてくれているババールに向かって、
「もうなんだか最近、めっきり年を取っちゃって。物忘れは日増しに激しくなるし、目もよく見えないし、耳も遠くなって……。インタビューの仕事なんて、そう長く続けられないかもって思うのよ」

するとババールは、私と目を合わせないまま、手際よく仕事を続けながら、
「なにをおっしゃっているのか、私にはよく意味がわかりませんが」

低い声でそう吐くと、ふっと顔をそらすのです。

そのさりげなさ。クールに見せかけつつ、こちらの気持を慮る気遣いぶり。この台詞は使えると思いませんか？　今度、どこかで試してみようと思っています。

25　相手の目を見る

人と会話をするときは、相手の目を見るのが礼儀というものです。いつの頃からか、そんな教育を受けてきた覚えがあります。それゆえ私はずっと、特に礼を尽くすべきお相手

の場合や、真剣に話を聞かなければいけない場においては、相手の目をじっと見つめる癖がついていたようです。

テニスプレーヤーのマルチナ・ヒンギスさんにインタビューをしたとき、私が日本語で質問をしている途中に突然、彼女が笑い出したので、「どうしたのですか」と尋ねたら、

「あなたの目は日本人らしくない」

どういう意味だ？　私の目って、外国人みたい？　そんなにパッチリ大きく愛くるしいのかしらと、ちょっと有頂天になりかけたら、どうやら目の大きさや色のことではなく、睨みつける力が強いという意味だったようです。

実はその日、ヒンギスさんにインタビューをするため、約束のホテルの部屋に入ったとたん、彼女の付き添いと称する年配の男性が私に向かって、「このインタビューは何分くらいかかるのか？」と聞いてきました。そこで私は、「二時間」と答えたところ、

「トゥー・アワーズ？　リアリー？　トゥー・アワーズ？」

いかにも「そりゃ、長すぎるだろう」とでも言いたげな不愉快そうな顔で、私に聞き返したのです。でも二時間いただきたいという要望は、間に立った関係者には前もって伝えてあったはず。今さら「長すぎる」と言われて引き下がるわけにはいきません。私はもう

一度、

「イエス。トゥー・アワーズ」

ケロリと言い放ち、そのおじさんに背中を向けるや、ヒンギスさんの座る席の斜向かいに腰を下ろして、さっさとインタビューを始めることにしました。そしてその後、背後におじさんの気配を感じながらも、いっさい無視してインタビューを続けました。もし彼と視線が合ったら、「そろそろおしまいにしてくれ」と言われそうなので、できるだけおじさんの存在は忘れ、ヒンギスさんだけに集中しようと思ったのです。

外国の方との対談では、通訳さんにまず、私の質問を英語（あるいはそのゲストの母国語）に訳してもらい、ゲストが英語（など）で答えたら、今度はその答えを私のために日本語に通訳してもらわなければなりません。すなわち、通常の日本人同士の対談と比べると、同じ質疑に二倍の時間がかかるという計算になります。普通の対談でさえゲストに二時間を割いていただいているのに、通訳込みのインタビューが二時間ということは、正味一時間のインタビューをしていることと同じです。だからこそ、二時間以下に短縮することはできないのです。

背後に厳しい視線を感じつつ、私は必死でヒンギスさんに立ち向かいました。その必死さが目に表れたのかもしれません。いずれにしてもヒンギスさんが私の目を見て笑ってくれたのだから、怪我の功名とでも申しましょうか。おかげで、おじさんは終始、不機嫌そうでしたが、ヒンギスさん自身は最後まで、インタビューが長すぎるなどと文句を言うこともなく、機嫌良く私の質問に答えてくれました。

俳優のモーガン・フリーマンさんにお会いしたときも、視線についての思い出があります。それは私の目ではなく、フリーマンさんの目のことです。

ヒンギスさん同様、通訳の人に同席してもらい、私が日本語で質問すると、それを通訳さんが英語に直し、ゲストのフリーマンさんが英語で答え、通訳さんがその答えを私のために日本語に訳してくれる。そんなやりとりを繰り返している途中、妙なことに私は気づきました。

私が日本語で質問し始めると、それまでソファの背もたれに寄りかかったり、足を組んでリラックスした様子で話をしていたフリーマンさんが、突如、組んでいた足をほどき、前屈みになって、私の目をじっと見つめ、一生懸命、私の言葉に耳を傾けようとなさるのです。私はつい、吹き出してしまいました。

「日本語がおわかりにならないでしょうに、どうしてそんな真面目な顔で私の質問を聞こうとなさるのですか？」

笑いながら尋ねると、フリーマンさんがこう答えてくださったのです。

「もちろん私は日本語がわからない。でも、あなたが真面目に質問をしてくれているときに、私も真面目な態度を取らなければ、失礼な気がしてね」

もうね、それ以来、私はモーガン・フリーマンという役者さんが大好きになりましたね。もちろんそれ以前から、カッコイイおじさんだとは思っていましたが、その言葉を聞いてからは、大好きの度合いが十倍ぐらいに膨らみました。

なんて素敵な人でしょう。そのときのフリーマンさんの目は、私を射貫くような鋭いものではなく、真摯で謙虚で、聞き手の私を安心させてくれるような温かみに満ちたまなざしでした。

目を合わせないのは敬意の印？

日本人と比べると、やはり欧米人の「視線」に対する考え方は、多少、違うように思われます。それこそ「相手の目を見て話すことが礼儀。相手の目を見ながら話を聞くのが礼儀」ということを、子供の頃から徹底的にたたき込まれ、それを習慣にしているのだから当然のことかもしれません。ですから、欧米人と話をするときは、なおさらこちらも視線に気をつけなければいけないと肝に銘じます。

そういう欧米の教育を良しとする世代に生まれ育ったからかもしれません。私も若い頃から、ときたま日本人のなかに、相手の視線を避けてお喋りをする人がいると、

「なんであの人、視線を合わせないのかしら。失礼なんじゃないの？」

と、怒ってばかりおりました。

「ちゃんと目を見て話をしなさい。目を見て！」

弟や後輩を叱りつけた記憶もあります。ところがあるとき、視線を合わせないことが、必ずしも失礼ではない文化が存在することを知りました。

そのことを教えてくれたのはエチオピア人でした。もう二十年ほど昔のことですが、私がアメリカのワシントンD.C.に住んでいた頃、たまたま通りで出会ったエチオピア人の若者に声をかけられて、少しだけお喋りをしたのです。すると彼は、

「君は日本人か。日本人と僕たちエチオピア人は、とても似ているんだよ」

「へえ、どういうところが？」尋ねると、

「たとえば人と目を合わせないだろ。それは、相手に敬意を表すためなんだ。特に尊敬す

る人をじろじろ見たりはしない。アメリカ人みたいに、人のことをじっと見るのは、僕の国では厚かましい行為なんだ。日本人も僕たちと同じ文化を持っている」

すっかり同志扱いされて、私は戸惑いました。だって私はアメリカに来て、なおさらのこと、「人の目を見て話すのが礼儀だ」と信じ、日夜、その方向に向けて自らを鍛錬していたのですから。

同じ頃、実はネイティブ・アメリカンの人々も、同じ文化を持っていると知りました。

「自分より歳上の人と話をするとき、若輩は顔を伏せ、決してその人と目を合わせてはいけないというしきたりがある」

そうか。ならば日本人が人と目を合わせないのも、相手に対する敬意の印だったのか。そういえば、昔の家臣は殿様の前でずっと頭を下げたままの姿勢を保っていたし、お姫様はたいてい御簾の向こう側にいて、直接、顔をさらさないようにしていたし、「頭《ず》が高いぞ」という叱責の言葉は、無礼者に対するものだったし。考えてみれば、自分より目上の人をじっと見つめることは無礼な仕草と見なされる文化が、昔から日本にもあったのだなあ。

そうと知って以来、私は目を合わせない日本人にだいぶ寛大になりました。きっとこの人は、私に礼を尽くしてくださっているんだわってね。

視線嫌いの人たち

でも、視線を避ける理由が必ずしも「敬意」ではないとお見受けする人も、ときどきいますよね。目を合わせるとやっかいだ。目を合わせると、会話を始めなければいけないのが嫌だから無視しよう。エレベーターや電車の中やいろいろな場面で、「こりゃ、敬意の表れとはほど遠いだろう」と思われる視線嫌いがたくさんいるように思います。

対談をしていて、なかなか視線の合わない人もいます。まったくこちらを向いてくれないわけではなく、喋りながら、しばらくあらぬ方向に視線を向け続け、語尾の部分が近づくと、「……なんですよ」「……というわけでね」と、息継ぎをするついでに、ちらりとこちらを振り返る。そういう喋り方をする方は少なくありません。

きっと恥ずかしがり屋なんだろうなあ。そう思うことにしていますが、あまりにもそっぽを向かれる時間が長くなると、だんだん寂しい気持になるものです。

もう一つ、急激に寂しくなるのは、こちらが話をしている最中に、視線をあちらこちらに動かす人と話をしているときです。ああ、私の話に飽きたんだな。あるいは、私の話以外に、気になることができちゃったんだな。そろそろ帰りたいのかな。相手の視線の動きによって、こちらの気持はざわついてきます。

自分がそんな寂しい思いをした経験があるからこそ、私が相手の話を聞くときは、できるだけ視線をそらさないように気をつけます。じっと目を見つめ過ぎて、友情以上の気持が生まれても先方にご迷惑でしょうから、そういうときは、目だけでなく、顔全体を少し移動させるとか、ときどき下を向くとか、視線の休憩時間をほどよく挟んで、でも決して落ち着かない目つきだけはしないように心がけているつもりです。

26　目の高さを合わせる

身長百五十センチの私はめったにそういうことはないのですが、たまに、話す相手の視線が私より低いところにある場合があります。そういうときは、あえて相手の視線の高さに自分の視線を落とすようにします。

仕事を始める以前、私立小学校の図書室でアルバイトをしていたことがあります。

「おねえさん、この本、どういうお話？」

二年生がそばに来て、私を見上げて恐る恐る質問してきたら、私は即座にその場に座り込み、その小学生と同じ目の高さに揃えるようにしました。なぜそんなことをしたか。自分でもよくわからないのですが、そうするほうが、その子供の身体、声、そして気持にぐっと近づけるような気がしたし、実際、高いところから話をするよりも、子供と仲良くなれる実感があったからでしょうか。

大学時代、クラブ活動の人間関係で揉めて、何を揉めたのか詳しいことは忘れましたが、一年上の男子学生に抗議に行ったことがあります。同好会の部屋の中で、その先輩男子学生は椅子に腰掛けていました。私はその先輩に腹を立てていたので、言葉こそ丁寧ではありましたが、どうやら憤慨が態度に表れていたようです。しばらく言い合いをしたのち、先輩が私に言い放ったのです。

「なんだ、その態度は。立ったまま、腕なんか組んで」

その瞬間、ムッとしたものの、たしかに私は生意気だなと、初めて気づかされました。いくら自分の発言が正当なものであろうとも、目上の人の前で、高い視線から、しかも腕を組んで話をするのは、まことに無礼極まりない。即座に腕をほどき、「でも、やっぱりそういうことは、やめてほしいですけど！」などと、精一杯の主張を残してその場を去りましたが、あの忠告はいまだに忘れられません。

相手より高い視線から話をする。相手の前で腕を組む。その二点については、ときどき、「あ、いかんいかん」と慌てることがあります。ついリラックスすると腕を組み、見下ろす視線で偉そうに話をしてしまうことがありますが、注意しないと誤解を招くことになりかねません。

ことに自分がインタビューをする立場にあるときは、できるだけ相手の視線より高いところから聞かないようにしなくてはならないでしょう。逆に言えば、少し下から尋ねると、なんとなく相手は、「あ、この人は謙虚な人なんだな。自分に危害を加える恐れはなさそうだな」と安心し、緊張せずに話してくれるのではないでしょうか。

さきほど触れたように、仕事をする以前、私は私立の小学校の図書室でアルバイトをしておりました。図書室の隣に、低学年用の絵本や童話が置かれている「低学年室」という小さな部屋があり、そこではごろんと床に横たわったり座り込んだり、自由な格好で読書ができるよう、靴を脱いで、靴下で歩き回れるスペースになっていました。

ある放課後のこと、いつもは低学年が読書をするその部屋に、靴を脱がないまま、膝立ちで入り込み、本を読んでいた六年生の男子生徒がいました。

「ほら、駄目でしょ。ここは靴を脱いで上がる部屋ですよ」

私が部屋のドアのところから首を突っ込んで注意すると、その男子生徒は私のそばまで膝歩きをして戻ってきて……、膝立ちの状態だと私の背丈の半分くらいだったのに、私の前の靴脱ぎスペースまできて、すっくと立ち上がったのです。たちまち私より大きくなりました。今まで見下ろしていた私は、今度は彼を見上げる状態です。小学六年生といえども、百六十センチ近くあったと思います。私はちょっと慌てました。

「立つと、大きいんだねえ、君は」

感心して言うと、その男の子ったら、私を見下ろしてニッコリ笑い、

「女は小さいほうが可愛い……」

一言、残して走り去っていきました。残された私は、呆然。生意気なヤツめ。でも、なんだかドキドキしたのを覚えています。

あんまり関係ない話でしたね。つまり申し上げたいのは、それほどに、見上げる意識と見下ろす意識には、違いがあるということです。人様に「お話を伺う」という気持があるとき、あるいは「苦言を呈される」という場面では、少なくとも相手より低い位置に自分

を置くことが大事なのではないでしょうか。

27　安易に「わかります」と言わない

私は中学・高校と女子だけのミッションスクールに通っていたので、毎朝、礼拝があり、週に一度は「聖書」という授業を受けていました。その「聖書」の授業を受け持つN先生が、朝の礼拝のお説教の時間にこんなことをおっしゃった。

「よく人は、『あなたの気持はよくわかる』と言いますが、他人の気持がそう簡単にわかるはずはない。だから人に対して、『わかる、わかる』と安易に言うものではありません。そして、『わかる、わかる』と言うような人のことを、たやすく信頼してはいけません」

そんな話を、普段、「あなたの隣人を愛せよ」とか「右の頬を打たれたら、左の頬を差し出しなさい」とか、生徒に教えている敬虔なるクリスチャンであるN先生がなさったものだから、私はびっくりしてしまいました。

案外、N先生って、冷たい人なのかしら。思い煩っている人に向けて投げかける「あなたの気持、わかるわ」といった心優しい言葉を、疑えなんて。先生ご自身、何か他人を信じられなくなるような嫌なことでもあったのかしら。恋人にでも裏切られたのかしら。

N先生のお話を伺った直後は、あまり好意的に受け入れられなかった記憶があります。でも時間が経つにつれ、その言葉がじわじわと心に響いてきたのです。

たしかに他人の気持を完全に理解することは不可能です。だって他人は本人ではないのだから。わかりたいと願う意識は必要かもしれないけれど、N先生がおっしゃるとおり、安易に「わかるわかる」と共感されたとき、言われた側は、はたして嬉しいでしょうか。わかるわけがないと、反発したくならないでしょうか。

「最近、腰が痛くてねえ」

「ああ、わかります、わかります。私も座骨神経痛に長年苦しんでいますから」

こういう「わかります」は、説得力がありますよね。自身の経験に裏付けされていますから。そしてさらに説得力を増したい場合は、

「もっとも私の経験した腰痛とは種類が違うかもしれない。病院へ行って、ちゃんとレントゲンを撮ってもらったほうがいいですよ」

そんなふうに言われた側は、痛みを分かち合う者同士として、そのアドバイスを素直に

ありがたく受け止めることでしょう。でもたとえば、

「結婚して一年足らずで主人は戦地で亡くなりました。その訃報が届いた日のショックは、今、思い出しても胸がキリキリするほどです」

そう発言なさる未亡人に向かい、たとえば聞き手のアガワが、

「ああ、わかります、わかります。さぞお辛かったことでしょうねえ」

なんて答えたら、未亡人はかすかに気持がしらけるかもしれません。なんでわかるのかしら。結婚もしていないうえに、戦争体験もないアガワに。

ここで大事なことは、相手の気持と同じになろうとしないことかもしれません。似通った自分の経験を探り出し、そのときの気持を重ねてみることは必要です。しかし、その経験とて、どれほど相手と似ているかは、誰にもわからないのです。

「わかるわかる」は、そもそも親切心から発せられる言葉に違いありません。でも、言い方を少し間違えると、あるいは安易に使うと、ときに傲慢と受け止められる恐れがあります。

N先生がどんなお気持からそういう話を十代の我々生徒になさったのかわかりません（それこそわからない）けれど、今、インタビューの仕事をしていると、ときどきあのとき

の先生の言葉が蘇ってきます。だから私は、相手の話を聞きながら、「ああ、わかるわかる」と思うことは確かにありますが、その瞬間、「本当にわかってるのか、君は？」と自分に問いかける作業も、同時にするよう心がけています。

井上ひさしさんの独白

ずいぶん昔になりますが、講談社のPR誌『IN★POCKET』のインタビューで作家の井上ひさしさんにお会いしました。井上さんはその数年前、前の奥様と離婚なさって世間の話題になっていらした。でも、その問題について触れることはできないと、私は思いました。なによりそのインタビューは芸能番組や芸能雑誌向けではなかったし、まして初対面の人から離婚について単刀直入に聞き出すほど剛胆ではなかった時代のアガワです（今だってもちろん、アガワは謙虚なつもりだけれど）。

その日の本来の目的は、最新刊の文庫について伺うことでした。担当編集者の方とも相談し、「離婚のことは、触れなくていいですよね」と合意した上で、お目にかかることになりました。

初めてお会いした井上ひさしさんは、静かで穏やかで、私のみならず、馴染みの編集者氏やカメラマン氏に至るまで、それは丁寧に挨拶をされる、驚くほど腰の低い方でした。こんなに大人しくて謙虚そうな方が、どうしてあんなに可笑しい小説や芝居を書かれるのだろう。私はさっそく、井上さんのユーモア論を伺うことにしました。すると、

「笑いっていうのは他人を励ましますよね。たとえば極限状態で、みんながガチガチになっているとき、フッと誰かが冗談なんか言った瞬間に、そのガチガチ状態がパアッと解き放たれることがある。冗談ってのは、こわばった空気を一気にゆるめる力があるんですよ」

なるほどなるほど。私が頷いていると、

「女房と喧嘩するときとか、『どうも女房に男がいるらしい』と悩むときとかね。そういうときに面白い本を読んで、『ま、しかたないか』なんて感じで救われるわけです」

断っておきますが、私は一切、そちら方面の話題に誘導していません。にもかかわらず、そちらの方角に話が向き始めている。さあ、どうしよう。でもせっかくご本人が触れてくださったのだから、無視するわけにはいきません。もしかすると、私に「聞いてほしい」というお気持があるのかもしれない。でも、相手の弱みにつけこんで、こちらから一気に根掘り葉掘り探り始めたら、やっぱり気分を害されるのではなかろうか。でもちょっとだ

け突っ込んでみようかしら。迷いに迷った末、やや遠慮がちながら、

「あのときは、そのー、何がいちばんショックでいらしたんですか」

質問してみました。すると、まるで躊躇する気配なく、いかにもあっさりと、

「自分が過ごしてきた二十二、三年間が、スポーンとなくなる、その恐ろしさ。結婚した直後から、ひとりぼっちでいる今の自分までの時間がピタッとくっついて、間の人生がなくなっちゃった心細さというか、恐ろしさは、すごかったですよ」

半ば笑みを浮かべつつ、井上さんはしみじみ語ってくださいました。

へえ。そうだったんだ……。

インタビュアーの私としては、内心、「こんなことまで伺ってしまっていいのだろうか」と当惑しつつ、もう少し、その話題に突っ込むべきか、とも思い、頭の中で大嵐が吹き荒れます。

そのとき、私の頭に浮かんだのは、自分の拙い失恋経験でした。はたして自分がオトコに振られたとき、何がいちばん悲しかっただろう。付き合っていた期間の思い出がすべて空虚な泡と化し、その期間を「一切なきもの」として葬り去らねばならないか、なんて、そんなこと思ったかなあ。いや、それはなかった。もちろんその直後は悲しくて、しばら

くは彼とよく通った街や店から足を遠ざけたり、一緒に遊んでいた人たちと会わないようにしたりした記憶があります。でも、彼と撮った写真を破いて捨てることはなかったし、彼からもらったプレゼントなども、もったいないからすべて取っておいて、しばらく後に復活させました。いまだに愛用しているアクセサリーや時計があるぐらいです。

これは個人の性格の差であろうか。あるいは男と女の違いか。いやいや、期間の長さも関係してくるでしょう。井上さんの場合は二十二、三年。しかも一緒に暮らしていらしたのです。ちょいと付き合ったくらいの傷とは雲泥の差があるに違いありません。でもなにも、二十二、三年の人生をすべて抹消しなくてもいいだろうになあ……。

自分の経験と照らし合わせながら、理解できるところと共感できないところを一つ一つ頭に取り込みながら、私は井上さんのお話に耳を傾けました。

そのとき私は井上さんの切ない独白に対して、「あー、わかります、わかります」とは言いませんでした。だって、わからなかったから。でも、「わかんないですよお」と否定することもしませんでした。だって、面白かったから。面白いと申し上げては失礼ながら、人にはそれぞれの失恋のつらさがあるということを知って驚いたのです。

「世の中には、そういうかたちで失恋の苦痛を味わう人がいるんだ」

そして、そういうつらさを味わった人の気持に、なんとか寄り添うことができないかと、自分のつらさを思い出して重ね合える場所があるかどうかを探してみました。そして結局、井上さんの本当の気持を理解することはできなかったと思います。

でもきっと、わからないながらも必死に理解しようとしている私を井上さんは受け入れてくださったのだと思います。もしかすると、井上さんご自身、つらかった時期のことを誰かに語ることによって、ご自分の気持を整理しようとなさっていたのかもしれません。

その対談が終わり、井上さんがお帰りになったあと、私は雑誌の担当編集者氏に、

「よかったんでしょうか、あんなお話、伺ってしまって」

そう尋ねると、編集者氏は、

「よかったんですよ。きっと井上さんも、ようやく他人に話す気になるほど、心の傷が回復されたのでしょう」

そう言われてホッとしたのを覚えています。

ちなみにもう一つ、その対談で教訓になった井上さんのお言葉は、

「パートナーの服の趣味や音楽の趣味が、突然、変わったときは要注意。誰かの影響があるということを疑ったほうがいいですね」

なるほどね。後学にさせていただくつもりだったけれど、いまだに実感したことがないのは、残念なのか、はたまた幸運なのか。

28 知ったかぶりをしない

あらゆる分野に疎いアガワではありますが、とりわけスポーツ部門に関しては、しばしば担当者をひやひやさせます。

なぜスポーツに弱いか。

子供の頃から私は動き回ることが大好きでした。家の中で静かに本を読むより、外へ飛び出して日が暮れるまで走り回って遊ぶほうが性分に合っていました。だから中学高校時代の部活は卓球部、休み時間は友達とバスケットボールに興じ、冬にはスキー旅行に出かけ、大学に入ると硬式テニスの同好会に入り、「コンパより試合より練習が好き」と公言するほどボールを追いかけることに夢中になっておりました。当時はスポーツの嫌いな人の気持がわかりませんでした。こんなに楽しいことをしない人生なんて考えられない。スポーツ嫌いの人とは絶対に結婚しないもんね。そう断言するほどに、スポーツが好きだったのです。でも私は、スポーツ観戦には、どういうわけかちっとも興味が湧きませんでした。

スポーツは、するものであって、観るものではない。

それが私の一貫した信念でした。

だから、観戦スポーツについてはほとんど無知と言っていいほど、何も知りません。

ついでに言えば、たしか小学一年か二年の頃、家のテレビでナイターの野球中継が映し出されていました。父は格別、野球ファンというわけではなかったと思いますが、たまたまその日は親戚も集まって、みんなで試合を観戦していました。チャチャチャという応援の手拍子や笛の音、ときどき突然、盛り上がる歓声に加え、テレビを観ていた大人たちが、「うあー。うあー。やったあ。すごいねえ」と大騒ぎをする声を、幼いながら私は秘かに「嫌だなあ」と思っていました。そして、たぶんホームランか何かに興奮して、父やいとこたちが急激に騒ぎ出したとき、私はつい、小さな声で呟いてしまったのです。

「うるさい……」

たちまち父が反応しました。

「なんだと？　うるさいとはなんだ。親に向かってうるさいとは、どういうつもりだ！」

そのあと、どうなったか。はっきりした記憶はありませんが、とにかく父が大声で私を叱り、私はワンワン泣き出し、その晩の集いが台無しになったことだけは覚えています。

その後、私は、野球中継独特の「チャチャチャ」という応援の音楽や球場の歓声を聞くたびに、あの晩の恐怖が蘇り、だからといってはナンですが、どうも野球中継を好きになれなかったのです。

野球にかぎらず、全般的にプロの試合を観る面白みが、私には長らくわかりませんでした。大学でテニスの同好会に入会し、それ以来、自分でも驚くほどテニスが好きになり、頻繁に練習に出て、どうしたら上手になれるかと必死でボールを追いかけていましたが、だからといってウインブルドンの優勝者が誰であるかとか、マッケンローがどんな試合を展開したかとか、そんなことはどうでもよいことで、そんな試合を観る暇があったら、ストロークの練習をしていたいと思っていたほどです。

そのツケが、インタビューの仕事を始めてから回ってきました。

野村監督夫妻に緊急インタビュー

週刊文春の対談連載を始めてまもなく、野村克也監督率いるヤクルトが日本一を達成しました。その直後、当時の編集長の花田紀凱《かずよし》さんから朝、電話がかかってきて、

「アガワさん、今日の午後は空いてる？」

なんのお誘いかと思いつつ、「はい、空いてますが」と申し上げたら、

「急で悪いけど、野村監督ご夫妻の時間が取れたんだ。対談してもらいたいんだけど」

「へ？」

冗談じゃありません。野球に精通している人だって、そんな急な話には驚くはずでしょうに、まして私は何の知識もない。野村監督の顔ぐらいは知っていますが、今シーズンの試合展開も、監督自身の履歴も、野球そのものについてもチンプンカンプンです。

「そんなの、無理です。私、野球のこと、ぜんぜんわからないし」

するとと花田編集長は、余裕の声で、

「大丈夫だよ。野球にも野村監督にも詳しい編集者にレクチャーさせるから。少し早めに編集部に来てくれる？」

きっとそのとき、花田編集長は、アガワがそこまで野球無知だとは想像もしていなかったことでしょう。

さて、編集長の指示通り、編集部に到着するや、会議室にこもって短期集中レクチャーが始まりました。指導してくださるのは、キマタさんというベテラン編集者です。キマタさんは野村監督が、南海ホークス時代からどれほど活躍しても、ライバル長嶋茂雄選手に華を取られ、いつも日陰でやりきれない思いをしながら野球人生を送り、今のヤクルトの優勝につなげたなどという、インタビューのポイントになりそうな話をたくさんしてくださいました。

「へえ。なるほどねえ」

ひととおりのレクチャーが終わった頃、私はふと、疑問が湧いて、キマタさんに質問しました。

「ところで、ヤクルトって、セ・リーグでしたっけ？　パ・リーグ？　ん？　どっち？」

その瞬間、キマタさんの顔からサアッと血の気が引き、まもなく、

「ではあとの残り時間、しばらく自習してください」

そう言い残してキマタさんは会議室を出て行かれました。もっとも私はその時点では、キマタさんの顔が真っ青になったとはちっとも気づかず、それは、そのとき同席していた構成者のシバグチ女史にあとで聞かされたことですが、まずは野球の基本知識をおさらい

しておかないといけないなと思って質問したまでだったのです。

それから数時間後、私はホテルの一室で、野村監督と沙知代夫人を前にして、恐る恐るインタビューを始めておりました。まだ世間では沙知代夫人がさほど有名ではなかった時代です。お二人が部屋に入ってこられた迫力といったら、それはもう、並大抵のものではありません。あ、駄目だ、帰ろう。瞬時にそう思いました。でも、逃げるわけにもいかない。

「日本一、おめでとうございます」

その一言から始めたこと以外、何を質問したかほとんど覚えておりません。とにかくこの「野球無知」がばれないよう、必死で食らいついただけだったと思います。ところがそのうちに、私は目の前のお二人のやりとりが面白くなってきたのです。

なにしろ私の質問に、生真面目に答えようとなさるのはもっぱらご主人の野村監督で、監督が、「いやあ、野球とは、そもそもね……」などと話し出されるや、

「また、この人の『とは』が始まった。なんでも『とは』なのよ。『人生とは』、『男とは』、『野球とは』、『キャッチャーとは』ってね」

奥様の沙知代夫人が即座に茶々を入れられる。そのからかいに対して監督は、口の端を

かすかに緩めながら黙って聞くばかり。決して不機嫌なご様子ではないのです。

なんだかこのご夫婦、可笑しい……。

そもそも野球について深く聞く技量はありません。私の関心はすっかり夫婦の関係へ移っていきました。

怖かったはずのインタビューが

「そんなにお二人は性格が違っていらっしゃるんですか？」

「そりゃそうだよ。なにしろ外から家に帰ってくるでしょ。この人（沙知代夫人）が玄関で靴を脱ぐと、一歩目、二歩目と靴を縦に脱ぎ捨てた状態のまま、家に上がっちゃうの。それを私がきちんと並べ直して、それで私が靴を脱いで家の中に入るんだから」

奥様の愚痴を言いつつも、その豪快な奥様を頼りにしている野村監督の愛情がひしひしと伝わってきます。そんなお話を二時間ほど伺って、最初はひたすら「怖い！」と思っていたお二人のことが、とても愛らしく見えてきました。

「じゃあ」

「ありがとうございました」

にこやかにお二人がお帰りになったあと、それまでずっと静かに傍らで私のインタビューを見守ってくださっていたキマタさんが、ポツリと呟きました。

「野村ご夫妻はおそらく、アガワさんがこれほど野球を知らないとは、気づかないまま、気持良くお帰りになったと思いますよ」

お世辞半分にしても、その言葉に私は心の底からホッとしました。ゲストに対して失礼がなかったことに安堵しただけでなく、「今日の対談はどうなることか」とヒヤヒヤしながら静かに付き添ってくださっていたキマタさんをホッとさせられたことに対して、ホッとしたのです。

どれほど優秀なブレインがついていようとも、私がスポーツ記者並みの専門的な質問ばかりしていたら、きっとすぐにバレていたでしょう。あ、このインタビュアー、にわか勉強で来たな、と。だからといって、野球の話を避けすぎても、いったいコイツはプロ野球の監督の俺を相手に何を探りにきたのかと、不満に思われるかもしれません。野球無知の私としては、そこらへんの塩梅が難しい。測ってできることではありません。たまたま、ご夫妻が面白かったから、うまくいったのです。野村監督ご夫妻へのインタビューは、その意味で、自分の興味の懐へ話題を引き込むことのできた希有なケースです。

巨人軍の若手だった頃の松井秀喜選手へのインタビューも同じ不安を抱えたまま、立ち向かいました。野球、よくわからないんだけどなあ。でも、そんなに怖そうな人じゃないし、私よりずっと若いし、なんとかなるかな。

例によって、細かい試合の経緯や技術的な話はそこそこに、松井選手の子供時代や高校球児時代の話を順を追って伺っていきました。そのとき、何かの拍子につき合っていた女の子の話になりました。

「どんな出会いだったんですか」

「彼女の幼なじみが、星稜のライバルだった金沢高校のエースで……」

「それはバッターで？」

そこらへんで、あたりの空気がどうも怪しくなっていることに気づきました。私側のインタビューチームが、なにやらオタオタし始めた。あれ？　なんかおかしなこと、私、聞いた？　異変に気づいた私が、あたりをキョロキョロすると、松井選手が、

「……ピッチャーです、エースって（笑）」

「あ、いや、ハハハハ。そうか、エースってピッチャーのことだけを言うのか」

私はてっきり、「エース」と言えば、そのチームのスター選手のことを総じて呼ぶのだ

とばかり思っていたのです。

「優秀なバッターは、エースって呼ばれないの？」

その瞬間、それまでなんとかごまかしながら続けていた数々の野球に関する質問が、どれも浅知恵だったことがバレてしまいました。でも、松井選手は、それは優しい心の持ち主らしく、そんなインタビュアーに腹を立てることもなく、苦笑いをしながらじっと耐えてくださったのです。

今でも、大リーグで活躍する松井選手の姿を見るたびに、「エース」という言葉が頭に蘇り、胸がチクチク痛みます。

対談一回目のゲスト

若貴全盛時代にお会いした貴乃花関（現・貴乃花親方）の前でも、私はどうやら、ドジを踏んだようです。

そもそも二子山部屋ご一家（当時）の中で最初にお会いしたのは、おかみさんの花田憲子（現・藤田紀子）さんでした。何を隠そう（隠してないけど）花田憲子さんこそ、週刊文春対談の初回のゲストだったのです。ときは一九九三年の春。その年の一月に貴乃花関の婚約解消事件があり、世間は大変な騒ぎになっていたようです。「……ようです」というのは、実は私は一九九二年から九三年にかけての一年間、アメリカのワシントンD.C.に住んでいて、その騒ぎを目の当たりにしていなかったのです。もちろん噂は耳にしていましたが、ワイドショーもスポーツ新聞も見ていないので、興奮する要素がない。ふーん、そうなんだ、ぐらいの認識で帰国して、まもなく憲子さんとお会いすることになりました。

「なんだか、大変だったそうですねえ」

まるで都会の動きにまったくついていけないおばあちゃんがご近所の奥さんに同情するがごとく、私がおかみさんにそう語りかけると、

「そうなんですよ」

初対面にもかかわらず、憲子夫人は自ら、コトの経緯を話し出してくださったのです。今思えばそれは、私があまりにもその問題に無知だったせいで、逆に安心なさったのではないかと思います。そして対談が終わると、

「今度、部屋に遊びにいらしてください。朝の稽古を見てくださったら、そのあとちゃんこをごちそうしますよ」

こうして約束通り、対談チームともども早朝に二子山部屋にお邪魔して、私は生まれて

初めて、力士の稽古風景を見学しました。その後、二階へ上がって貴乃花関や若乃花関（花田勝氏）や、他のお弟子さんたちとともに、ちゃんこ鍋をおいしくいただいたのです。

それが縁で、まもなく若乃花関へのインタビューが実現しました。弟に引き続き、相撲取りになると決心した理由。弟子入りした後、両親との親子関係をすべて断ち切り、親方とおかみさんとして接するつらさ。兄弟子たちのいじめに耐えかねて、弟と本気で取っ組み合いをした日の話。弟を守ってやれるのは自分しかいない、命を賭けて弟を守ろうと心に決めた瞬間のこと。今となっては懐かしい、そんな美しい兄弟秘話をたくさん伺って、私の顔は涙でボロボロのグシャグシャ。オンオン泣いたのを覚えています。

そしてしばらくのち、とうとう貴乃花関が対談に登場してくださいました。

どうやらあの頃、若貴の外界への対処法は、まず若乃花関がその人なつこさで様子見をして、「この人は害がなさそうだ」と判断したら、ようやく慎重派の貴乃花関が近寄っていくという段取りになっていたようで、

「アガワは悪人ではないらしい」

兄貴の太鼓判が押されたのちの、貴乃花関との対談成立と相成ったようでした。

それでも最初のうち、貴乃花関は極めて口数少なく、容易に心を開いてくれる気配はあ

りませんでした。私の質問には律儀に応えてくださるものの、訥々として、決して自ら積極的に話し出そうという風情ではありません。そして対談が終わりに近づいた頃、私は質問しました。

「では、今場所への抱負を伺えますでしょうか？」

その瞬間、真面目一本槍に見えた貴関が、プッと吹き出されたのです。

「なに、笑ってるんですか」

意表を突かれた私は驚いて聞き返しました。すると、貴乃花関ったら、

「だって、アガワさんが相撲の質問をするから」

なにを言っておるんじゃ、貴関さん。私はこの二時間、ずっと相撲の質問をしていたではないですか。言い返してはみたものの、そのときハッと気づいたのです。

そうか。貴乃花関はお見通しだったのだ。私が相撲について、ほとんど何も知らないことを。そして無知なインタビュアーに合わせて、嫌な顔一つせず、むしろさりげなくわかりやすく答えてくださっていたのです。

背伸びをしたところで、どうせ化けの皮はすぐに剝がれる。事前の勉強は大切だけれど、相手の前で知ったかぶりはせず、にわか勉強であることを素直に認め、相手に失礼のない

範囲で、素朴な疑問をぶつけるようにしよう。
貴乃花関に吹き出されて以来、私は無謀な知ったかぶりはやめようと決心しました。

29　フックになる言葉を探す

私の人物インタビューは、基本的にその人の来し方を伺うことが多いです。前段となる会話をひととおり展開したのち、「そもそもこの仕事に就こうと思ったきっかけは？」とか「小学生の頃はどんな子供でしたか」とか、「中学時代は？」「高校では何の部活に？」などと、過去へ遡って時系列にその人の人生を繙《ひもと》いていくのが、いわばオーソドックスなインタビューのしかたということになります。が、その習性が身につくと、順番に聞いていけばいいという油断が生まれ、つい、大事なことを聞き流してしまう危険があります。

子供時代のエピソードを一つ、二つ。中学高校時代の話を二つ聞いたぞ。あと残り時間は三十分しかない。少しテンポを早めないと、仕事を始めて下積み時代、貧乏時代、それからブレイクして、今に至るまでを聞き終えることができなくなる。

「ふんふん、あー、そうですか。で、その翌年にデビューなさったんですよね」

相手の面白い話を聞こうという気持より、人生の流れをクリアすれば、それでいいかという心境になるんですね。そういうインタビューで終わった場合、あとで振り返って見ると、あれ？　ひととおりの人生は振り返ってみたけれど、果たしてどこにポイントがあったのかしらと、記憶に残っていないことがあります。

これはまさに、「段取りだけにとらわれて、話の内容に心が向いていない」下手なインタビューの典型です。

ときどき、自分で質問しておきながら、心のなかで「あー、いかんいかん。段取りをこなしているぞ」と思うことがあります。そういう場合は気を引き締めて、時系列に質問しながらも、どこかに面白いものが転がっていないかを吟味するのです。

たとえば……。

映画監督の是枝裕和さんにお会いしたときのことです。

是枝監督は最初、小説家になろうという夢を描いて早稲田大学文学部に入学しますが、

「映画が面白くなったのと、外国語が週に六時間あるのがイヤでイヤで、すぐに行かなくなっちゃいました」

で、脚本の勉強をするために、新藤兼人さんが塾長を務める『ＹＭＣＡシナリオ講座』に通い始めるが、

「一年間通ったんですが、なんだか馴染めなくて、途中で辞めちゃった」

その後、テレビマンユニオンに就職し、テレビ番組の制作修業を始めるも、

「ディレクターに指示されて、アシスタントの女の子が持っているお盆の上に『ヒトシ君人形』を並べる仕事なんかをやるんですが、もう毎日が辛くて辛くて、辞めたいと」

そんな話を順を追って伺ううちに、気づいたのです。

「組織に入ると、すぐイヤになっちゃう人なんですか？」

伺うと、

「そうなんです。最近、わかってきたんですけど」だって。

聞き手の私はすぐにわかったぞ。

しかし、そんな是枝さんの習癖に気がつくと、面白いんですよ。まるで何度も同じ失敗を繰り返す男の童話を聞いているような楽しい気分になってきて、会話にテンポが出てきます。そして、そんな意固地な是枝さんが生み出した、その後のみごとな作品の数々は、なるほどこういう人生の繰り返しの集大成なんだなということがわかってきます。是枝さ

んという映画監督の作り出す世界が、どうしてこういう味を醸し出しているのかが理解できるようになるのです。こんなふうに対談相手の人生の癖を見つけることは、その人を知る上で、大きな手立てとなることがあります。

室伏選手「ハンマーを追求」

でも、ときに大事な言葉を聞き逃すことがあります。それこそ最近、気がついたのですが、先日、ハンマー投げの室伏広治さんにお会いしたときのことです。室伏さんにインタビューするのはそれが二回目。前回は十年前、二〇〇一年の世界選手権でみごと銀メダルを獲得した直後のことでした。二〇一一年、今度は世界選手権金メダルを携えて帰国なさった室伏さんと再会を果たす直前に、前回のインタビュー記事を読み直して、愕然としました。

前年に行われたシドニー・オリンピックで一投目をファウルにし、以降ガタガタに崩れ、金メダルの期待を裏切って九位に終わった結果を振り返り、

阿川　落ち込みはしたでしょ？

室伏　それまで勝つためだけにやってきて、すべてを賭けて思ったような結果が出なかったから、がっかりしました。それでもハンマー投げなきゃいけないと思ってましたから、これからもやり続けるのなら、勝利主義ではなくて、純粋にハンマーを追求する気持ちでいこうと、目的を変えて立ち直ったんですね。

阿川　ハンマーを追求……？

ちなみにこの質問は我ながら「悪くなかった」と評価しております。なぜなら、「ハンマーを追求」なんて、普通の人の口からは出てこないであろう言葉だったので、そこをもう一度、かみ砕いて話してもらわなければいけないと思ったのです。

ハンマーを追求するって、どういう意味？　たとえば私が「原稿書きを追求する」と言ったとすると、何を追求するだろう。料理人が「料理を追求する」と言った場合、技なのか、味なのか、道具なのか、それとも哲学？　ハンマーは、何を追求するのだろう……。素朴な疑問として、じゅうぶんに聞き直す価値がありました。すると室伏さん、

室伏　もちろんスポーツですから、勝つためにやってるんですよ。ただそれが先じゃな

くて。

阿川　ああ、なるほど。（この時点で少し理解する）

室伏　ハンマーを追求していくと、いろんなものが見つかるんですよ。一人で黙々と投げていると、ほんとの投げ方も見極められるようになってきますし、自分の内面がよく見えたり、自分を高めるようなものがあったり。説明しにくいんですけど、距離以外にも成長してるところはあると思うんですね。

さてここで私は次にどう反応したでしょう。

阿川　美しいなあ。で、オリンピックからどのぐらいで立ち直ったんですか。

これがいけません。もちろん時間的制約はあったでしょう。あるいは、そのときはその時点で納得したのかもしれない。しかし、よく読み返してみると、何かが欠けている。今の私には、新たな疑問が湧いてきます。すなわち、

阿川　距離以外に、たとえばどんな成長をしたという自覚がありますか？

ひたすら黙々と、あんなに重い球体を何度も何度も放り投げながら、いったい室伏さんは何を感じ、何に気づくのだろう。そしてその感覚が、自分をどういうふうに高めるきっかけとなったのか。その答えによってはもしかして、一流スポーツマンの、一流たるゆえんが隠されているかもしれないではないですか。でも、私は質問しなかった。なぜなら、次の質問に心が奪われていたからです。いつ「九位のショック」から立ち直って、その後の世界選手権銀メダル獲得につなげていったのか。話を進めようという気持が先行していたのでしょう。

ああ、大事なことを聞きそびれているな。今になると、わかります。

そういうことはしょっちゅうあります。インタビューの最中は気づかなくても、あとになると、明らかに、「次の質問に心を奪われていたな」ということが見えるのです。つまり、相手の話をちゃんと聞いていない。

もちろん、聞き手が一言一句をもれなく聞くことは不可能です。耳と脳が相手の言葉を取捨選択し、しかもそれぞれの聞き手の取捨選択する部分が異なるから、人間の組み合わせによって違った会話の面白みに繋がるのです。でも、「これは聞き流してはいかんだろう」という大事なポイントは逃してはいけない。また、そういう大事なポイントは、得して、ほんの小さな言葉の端に隠れているものです。さりげなくつけ加えた形容詞や、言葉の最後に挟み込んだ普通名詞や、ちょっとした小さな言葉。そういう謙虚な宝物を見過ごしてはいけません。他のことに気を取られて見落としてしまったとき、ああ、ちゃんと聞かなきゃと、改めて「聞くこと」の難しさを実感します。

30　相手のテンポを大事にする

今年百三歳になる私の伯母は、現在、広島の老人施設に入っていますが、九十七歳の年まで広島市内の自宅で一人暮らしをしておりました。メリーウイドーになって三十数年。「ちっとも寂しいことなんかないよ」と、元気に生きてきた伯母でしたが、さすがに九十代も半ばを過ぎたあたりから、家の中で転んだり、膝を痛めたり、周囲の心配が募ってきました。

伯母には子供がおりません。その分、姪、甥にあたる私と兄は幼い頃からずいぶん面倒をかけ、実の子供のように可愛がってもらいました。さんざん世話になった伯母が転んで怪我をして、救急車で病院に運び込まれたと知ったとき、私は広島へ飛んでいきました。

幸い、怪我はたいしたことがなく、意識もはっきりしていたのですが、お医者様や親戚の見立てによると、もはやこれ以上の一人暮らしは無理だろうという判断が下されました。さてどうしましょう。どこも具合の悪くない老人をずっと病院に入院させておくことはできません。かといって、自宅に帰すわけにもいかない。誰より可愛がってもらったとはいえ、私が広島に移住して、伯母と同居を始めることも困難です。あるいは広島から連れ出して、東京で一緒に暮らすという案も出ましたが、それもなかなか難しそう。なにしろ伯母は生まれたときから広島暮らしを長年続け、この地に友達もたくさん住んでいます。広島を離れたら、元気を失ってしまうかもしれません。そこで、急遽、地元で老人施設を探すことにしました。あちこちに問い合わせをした結果、幸運なことに、美しい海の見渡せる宮島の施設に入れてもらえそうな算段となりました。

「もうどこも痛くないのよ。退院したいんだけど」

そう主張する伯母のベッドを囲んで、お医者様、地元に住む親戚と私の三者会談が始まりました。

「内臓はどこも問題ないし、怪我も治られましたので、これ以上はこの病院でお預かりすることが、できんのですよ」

「でも先生、自宅で一人の生活に戻ることは……？」

「そりゃ、危険じゃあ、思いますねえ」

「だとすると、やはり施設に入れたほうが、ええのですかね」

「実は宮島にですね」

「そりゃ、サワコちゃん、一度、一緒に見に行ったほうがええじゃろねえ。ねえ、おばちゃんも、そのほうがええでしょう、ね！」

「わたしは……」

「お試し一泊っていうのがあるらしいから、おばちゃんを連れて、一度、泊まってみようかと思うんですけど」

「そりゃ、いいわねえ。そしたら、早いほうがいいでしょう。お医者様、いつまで病院に置いてくださいますか」

「それはまあ、まだ大丈夫ですが」

「わたしはね、ウチに帰りたいですよ。なにしろ全部放ったらかしにして出てきたから。家のなか、くちゃくちゃで……」

「先生、ではなんとか来週までこのまま入院させていただいて、その間で一泊、施設に外泊してもよろしいでしょうか」

「ああ、それはかまわないと思いますが、手続きをしていただいて」

「わたしはね、ウチに帰りたいの……」

「おばちゃん、それは無理。もう一人暮らしは無理なんだって。じゃ、先生。先方の施設に問い合わせまして、それからご報告いたしますんで」

親戚のテツ子さんも私もお医者様も、なにしろコトは急を要するという気持があったので、焦っていました。話すテンポは速く、言い方もきつかったかもしれません。あれやこれやと事務的な会話がスピーディに飛び交うなか、突然、伯母が大きな声で反論したのです。

「ちょっと、わたしの話も聞いてちょうだい！」

思わず振り返りました。おばちゃん、怒ってるぞ。

九十七歳の反論

驚きました。でも確かに伯母の言い分はもっともです。いくら高齢と言ってもまだ気力も体力もしっかりしています。昔に比べれば言葉を発するテンポが遅くなってはいるものの、人と会話が成立しないほど惚けているわけではありません。

「あ、ごめん」

反省しました。

そのとき私は初めて、老人のテンポについて考えました。テンポが遅く、質問してもなかなか答えが返ってこないと、つい、「あ、惚けているのかな」と思い込む。そしてこちらは何かと忙しいものだから、言葉が出てくるまで待っていられない。よって催促する。あるいは代わりに答えてあげる。

「何が欲しいの？」

「あー……」

「お醤油？　お醤油はあんまりかけないほうがいいって、お医者様に言われたでしょ。塩分が強いんだから。薄味が身体にいいのよ」

「でも、明日は……」

「なに、明日？　明日のことは今、決めなくていいの。心配ないから、ね」

高齢者のゆっくりした話し方を聞いていると、最後まで我慢できず、つい先回りしたくなります。でも、待っていられないのは一方的にこちらの都合であり、高齢者は自分の言い分を無視されて、おおいに傷ついていることでしょう。

高齢者に限らず、人にはそれぞれに話すテンポというものがあります。ゆっくり話をする人にインタビューするとき、相手の答えが出てくる前に、こちらで予測して答えてしまうことがある。どちらかというとせっかちな私は、ときどき、やってしまいます。

答えるはずのゲストが答えない。しばしの沈黙が続く。どうしよう。この答えは諦めて、次の質問に切り替えようか。それとももう少し待とうか。

迷うところです。迷った末、同じ質問を、別の言葉で言い換えることもあります。そうすることが正解である場合もありますが、あまり多用しないほうがいい。

言葉を置き換えたり、答えを促したり、一見、親切な聞き手のようですが、結果的には答えようとしている人を追い立てることになります。

ここは我慢大会。沈黙が続いたとき、私はいつも、そう思います。テレビやラジオの仕事の場合は、放送中の沈黙は、放送事故と思われかねないので、あまり長く待つことができませんけれど、それ以外での対談なら、できるだけ待つ。

若い頃はこれができませんでした。質問を見失ったと思われることが怖かったからです。答える側がテキパキ答えてくれないなら、すぐさま次の質問に移ることのほうが有能だと思っていたのです。でも、この頃は、じっと待っていると、相手の心や脳みそがその人なりのペースで動いていると感じられることがあります。決して故意に黙っているわけではない。今、お相手は、ゆっくりと考えているのだ。そのペースを崩すより、静かに控えて、新たな言葉が出てくるのを待とう。その結果、思いもかけない貴重な言葉を得たことは、今までにもたくさんありました。

31　喋りすぎは禁物?

かつて私自身が城山三郎さんへのインタビューのときにやってしまったことではありま

すが、聞き手が喋りすぎるインタビューは、よろしくありません。ゲストに呼ばれた側は、なんでこの人の話を延々と聞かされるのかと、少なからず気分を害するでしょう。一度、機嫌を害して、聞き手に対する信頼を失ってしまうと、そののちどんなに質問されたところで、まともな答えをする気にはならない。

だからといって、聞き手が完全に相づちマシンのようになるほうがいいとも思いません。ときには自分の話を挿入することも、有効な手段となり得るからです。

「自分が年を取ったなって思ったことはありますか？」

「年を取ったって？　僕が？」

どうやら聞き手の質問にピンと来ていないご様子。そんなとき、

「たとえば私は、唇の上に一本、縦皺ができているのを発見したとき、ものすごいショックを受けたんです。ああ、こうやって長谷川町子の描く『いじわるばあさん』の顔に少しずつ近づいていくんだなって思って……」

するとゲストは、「ああ」と、何かを思いついたのか、

「そういう意味では僕はね、眉毛に白髪を見つけたときだな。鼻毛とか脇毛に白髪を見つけてもたいしてショックじゃなかったんだけど、眉毛はショックだったなあ」

あるいは、ゲストの小説家がこんなことを言ったとします。

「私、小さい頃から本を読むのは好きじゃなくて。だから作文もすごく苦手だったんです」

そんな話を聞いた私は思わずうれしくなり、

「えー、そうなんですか？　私と同じだあ。私の小学校の頃の作文なんて、ひどいもんですよ。小学二年生のとき、忘れもしない、遠足の作文を書かされて。でも遠足って、出かける前から嬉しいから、前の日のことから書いたんですよ。おやつを買いに駄菓子屋へ行って、五十円までという決まりだったから、サイコロキャラメルを一つと、チョコレートと、あと何にしようか迷ったこととか、家に帰ってリュックに詰め込んで、枕元に置いて寝るんだけど、興奮してなかなか寝られなくて、どうしようかと思っていたら朝、台所から母がお弁当を作ってくれている音がしてきて、着替えて階下に降りていって、ちょっと母の手伝いをしているうちに、近所のイッコちゃんが迎えにきたので、お弁当もリュックに詰めてイッコちゃんと出かけて、学校に着いたら、もうたくさん生徒が朝礼台の前に並んでいて、みんなでお菓子は何を買ったか話し合ったりして、『それから高尾山に出かけました』って書いたところで行数が来たのでおしまいにしたら、あとで先生から、『もう少し、高尾山に行ってからのお話を書いてほしかったですね』って赤ペンで書かれて、あ あ、私は作文の才能、ないなって自覚したのを覚えてます」

そういう話を延々した私に対して、

「あ、そうそう。私も作文、書けなかったの、思い出しました」

そこでゲストの新たなエピソードが出てくれれば、私の「延々ばなし」は役に立ったことになる。私の話が呼び水になり、ゲストの脳みそを触発することは、よくあることです。

でも、逆のケースもあります。聞き手の私が自分の思い出を語っている途中で、ゲストのにこやかな顔に、かすかながら陰りが生じることがあります。あ、やばいな。と思ったら、早々に口をつぐまなければいけませんね。いけないと察知しても、途中で話を切り上げるのも変かと思って喋り続けるから、私の場合はときどき失敗するのです。

あら、そうなんですか？　雑誌に載った対談記事を読むかぎり、そんなにアガワさんがたくさん喋っている印象はないですけどって、読者は思ってくださるかもしれません。それは、私が喋った「延々ばなし」は、たいてい無慈悲にも、構成者シバグチ女史によって、全面的にカットされているからです。

アガワ流「対談指針」

週刊文春の対談連載を開始してまもなく、その件について私自身が指針を表明していたことが、文庫本『阿川佐和子のガハハのハ』の巻末付録座談会（出席者は和田誠、阿部真理子、柴口育子、阿川佐和子）に証拠として残されています。

柴口　最初はすごく緊張してたよね。対談が実際に誌面に載る前に、録り溜めをしたじゃない。

阿川　うん。花田憲子さんと、横綱の曙関と、当時、朝日新聞の社長でいらした中江利忠さんを連日の勢いで。

柴口　三人終わった段階で、アガワは「初めて会う方と、同じテーマも持ってないのに対談するのは無理だ」って言ったでしょ。

阿川　憶えてない（笑）。

柴口　それで、花田編集長に「対談じゃなくて、『阿川佐和子インタビュー』というタイトルにしてほしい」と言いに行ったの。そうしたら、花田さんが「内容はインタビューで構わない。ただタイトルは対談で行く」っておっしゃったのよ。

阿川　全然憶えてな〜い。
柴口　あと私に「私はバカだから、まとめるときもバカのままでいいです。いいカッコさせないでください」って。
阿川　あ、私を美化しないでくれと言った覚えはある。
柴口　それから、「私の話は削っちゃっていいですから、ゲストの方に花を持たせてください」とも言ったの。

なんて謙虚なアガワでしょう。でも、当初からそれは思っていました。せっかくゲストにお出でいただいているのに、ホステスの発言のほうが多いと、何のために呼んだのかわからなくなってしまいます。発言にそれだけの力があるのなら面白い読み物になるかもしれませんが、私ごときでは、呼び水にこそなれ、たいして意味はないからできるかぎり削ってくれと、確かにシバグチ女史にお願いした記憶があります。しかし、ここまで削るとは思っていませんでした。

ときどき、ゲストに驚かれます。あら、アガワさん、けっこう発言なさるんですね。いつも対談ページ、読んでますけど、あんまり口数が少ないから、もっと静かな人かと思ってましたって。

32　憧れの人への接し方

しかし、あれはさすがに私が喋りすぎたと、今、思い出しても悲しくなるインタビューがあります。喋りすぎたというより、歌いすぎました。

お相手は、私が幼い頃からずっと憧れ続けてきたジュリー・アンドリュースさんです。物心ついて最初に聞いたレコードの一つが、ブロードウエイ・オリジナル版の『マイ・フェア・レディ』でした。ミュージカルの好きな父がそのレコードを買ってきて、我が家の小さな冷蔵庫の上に置かれたレコードプレーヤーにかけて、毎日のように流していたのです。

英語はわからずとも、曲の雰囲気からそれらの音楽にどうやら物語があるらしいということは、幼いながらわかりました。男の人と女の人のゆっくり歌う曲を聴くと、これは恋人同士かなと想像し、大合唱になると、めでたしめでたしでお話が終わったんだろうと察しをつけました。その、どうやら主人公の女性の声がジュリー・アンドリュースであることは、ずっと後に知ったのであり、彼女の顔と歌声と演技をきちんと認識したのは、中学生になってから。『サウンド・オブ・ミュージック』の映画を観たときです。

なんという美しい歌声、美しい英語の発音、そしてコミカルで切れがよくて、絶世の美女というわけではないけれど、なんと魅力的な人だろう。ミュージカル歌手になりたいと私が秘かに夢描いたのは、その頃のことでした。レコードを買ってきて、何度もかけて、歌詞を覚え、大声で歌い、発音の勉強をしました。コンフィデンス（自信）とかティミッド（臆病）なんて単語を覚えたのは『サウンド・オブ・ミュージック』のおかげです。

ミュージカルの話をしていると長くなるので、割愛することにして、さて、そんな憧れのジュリー・アンドリュースの実物に会えることになったのです。

きっかけは、彼女が出演している映画『プリティ・プリンセス』のプロモーションで来日したことでした。先年、喉を痛め、もはやミュージカルに出演することはなくなっていましたが、女優としての活躍は続けていらしたのです。

そのときほど私は、苦手なインタビューの仕事を続けていてよかったと思ったことはありません。そして当日が訪れました。

「ハウ・ドゥー・ユー・ドゥー」

私は、『マイ・フェア・レディ』のイライザが社交の場にデビューしたときのように、できるかぎり上品な発音で、憧れの人にご挨拶をしました。それから互いに向き合って席につき、まずはどれほど私が彼女の長年のファンであるかを表明したいと思いました。もちろん、そばには通訳さんがついてくださっています。下手な英語を使うより、日本語で。でも、何より歌うことが、いちばん手っ取り早く、私の気持をお伝えできると、そのときふっと思いついたのです。

「本当にお目にかかれて光栄です。私はあなたのこの歌を知っています。♪チムチムニー、チムチムニー、チムチム、チェリー」

歌い出すと、ジュリーさん、「オウ」と顔をほころばせ、ニッコリ。そこで私は引き続き、

「これも歌えます。♪スーパーカーリフラージリスティックエクスピアリドーシャス！」

「エックサレントゥ！」

ジュリーさんの目が大きくなりました。私はものすごく嬉しくなり、こうなったら『サウンド・オブ・ミュージック』を披露しないわけにはいきません。

「♪ザー・ヒルズ・アー・アライーブ……。♪エーデルワーイス・エーデルワイス……」

「ワンダフル」

ジュリーさんが褒めてくださる。でもさっきより少し声が小さいみたい。そうだ、映画ではオードリー・ヘップバーンだったけれど、もともと『マイ・フェア・レディ』はジュリーさんのものだった。アメリカ・ブロードウエイの歴史に残る大ヒット作なんだから、これを知っていることもお伝えしなければ。

「♪アイ・クッドゥ・ハブ・ダーンスト・オールナーイト、アイ・クッドゥ・ハブ・ダーンスト・オールナーイト」

ジュリーさんが微笑んでいらっしゃる。微笑んではいるが、ちょっと静か。ふとあたりを見回すと、彼女のうしろに控えているスタッフ一同の様子も、やや冷たい雰囲気。

「あ、では、そろそろインタビューを……」

気を取り直してインタビューを始めると、大好きなジュリー・アンドリュースさんは私の質問に、それは丁寧に答えてくださって、対談はほとんど成功したも同然だったのですが、そのことがのちのち私の周辺で、これほど長く語り継がれることになろうとは、そのときは思いもよりませんでした。

呆れられたアガワ

「なに、ジュリー・アンドリュースの前で、彼女の歌を歌ったの？　信じらんなーい！」

「よくそんな、ずうずうしいことができるね！」

「それは不愉快だったと思うよ、ジュリーさん」

さんざん罵倒され、呆れられました。

そこまで非難されてみれば、そうだったかもしれないと不安が募ります。お詫びの手紙を書くわけにはいかないし、また再会できる見通しはありません。どうしよう……。でも私としては、どれほど私が彼女のことを好きであるか、その熱意を示すには、歌うことがいちばんだと思ったのです。

本当に不愉快に思われたかしら……。

しかし、実は、たとえ彼女が私の歌を聴いて気分を害したとしても、最後にお別れをするときは、断じて不機嫌ではなかったと、証明できることがあったのです。それは、いつも私の対談集やエッセイ本の装丁をしてくださる和田誠さんのおかげでした。

ジュリー・アンドリュースさんに会う少し前、たまたま和田さんにお会いして、「今度、

憧れのジュリー・アンドリュースに会うんです」と報告をしたところ、和田さんが、

「だったら、彼女に見てもらいたいものがあるんだけど、持っていってくれる？」

渡されたのは、一冊の絵本。和田さんがまだ二十代の頃、今はなき銀座の洋書屋、イエナで購入したものでした。

洋書ながら、文字はありません。絵だけで物語が綴られています。

最初のページには、オペラ座の前で花売り娘の犬が花を売っている姿が描かれています。そばを歩く紳士淑女は犬を横目で見ながら、花を買おうとはしない。そこへ、公演を終えて楽屋口から出てきたソプラノ歌手が現れます。

「あら、可哀想な花売り娘。私がお花を買ってあげましょう。いえ、それだけでは足りないわ。ウチへいらっしゃい。ウチで働けばいいわ」

文字はないけれど、そんな雰囲気。こうして花売り犬は、ソプラノ歌手の豪邸でメイドとして働くことになります。

メイドになった犬は白いエプロンをかけ、ソプラノ歌手が歌のレッスンをする横で、掃除をしたり料理を運んだり、テキパキ、いきいき、動き回ります。そんな生活が続いたある日、突然、ソプラノ歌手が病に倒れます。

「ああ、どうしましょう。今度のオペラ公演で歌うことができない」

「誰か彼女の代役はいないか。彼女の歌をぜんぶ覚えている歌手はいないのか」

探し回った末、すべての歌を即座に歌うことのできるのは、メイドの犬しかいないことが判明します。急遽、犬は舞台に上がることとなりました。そして舞台は大成功。一躍、犬は有名になり、みるみる人気歌手として名声をあげていきました。

いっぽう、病に倒れたソプラノ歌手は、以来、まったく仕事が来なくなり、だんだん貧しくなっていきます。

ある晩、ソプラノ歌手になった犬が、美しいドレスを身にまとい、オペラ座の楽屋口から出てくると、

「まあ、ご主人様！　こんなところで何をなさっているのですか」

かつてのご主人様であるソプラノ歌手が、手に籠を抱え、花を売っていたのです。

「そんなことをしてはいけません。私がこんなに幸せになれたのは、すべてご主人様のおかげです。今度は私がご恩返しをしなければ」

そんな会話は書かれていませんが、そんな感じね。そして犬は、持っていた財産のすべてをソプラノ歌手に渡し、自分はふたたび裸一貫、道端に戻るのです。

最後のページでは、救世軍の制服を着た犬が、通りで歌を歌っている姿が描かれておりました。

「まあ、驚いた。どうしてこの本が、日本にあるの？　もうアメリカでこの本のことを知っている人なんて、誰もいないぐらいなのに」

対談終了後、和田さんに託された絵本をジュリーさんに差し出すと、予想以上の驚きよう。マネージャーを大声で呼び、狂喜していらっしゃいます。

なぜ、ジュリー・アンドリュースさんが、この絵本を見て狂喜するかといえば……。

実はその本の最後のカバーの見返しに、若きジュリー・アンドリュースの子犬を抱いた写真が載っているのです。

和田さんはその本を買った当初、写真の金髪少女がジュリー・アンドリュースとは知りませんでした。なぜなら日本ではまだ彼女の映画は公開されていませんでしたから。にもかかわらず、「可愛い女の子だな」と、その写真が気に入って購入なさったのだそうです。

そういう話をジュリーさんにお伝えすると、

「実はね」

絵本と彼女の関係を嬉しそうに語ってくださいました。

そもそもジュリーさんはイギリス生まれの舞台役者であり、歌手でした。十八歳のときにアメリカへ渡り、ミュージカル『ボーイ・フレンド』でブロードウエイ・デビューを果たしたことがきっかけで、続く『マイ・フェア・レディ』のイライザ役を射止めます。そのイライザの舞台稽古をしていた頃のこと。ニューヨークのアパートの一室で、ジュリーさんが歌のレッスンを始めると、隣の部屋の犬がワンワンと吠え始めるというのです。

「毎日、私が歌い始めると、その犬が歌い出すの。面白い犬がいると思って、その話を友達の絵本作家にしたのね。そうしたら、この絵本が生まれたというわけ。『マイ・フェア・レディ』と犬の物語をみごとに組み合わせてね」

こうして、その本の原案を提供したジュリー・アンドリュースがカバー裏見返しに載ったという経緯だったのです。

だから、ジュリーさんはたいそうご機嫌良く、「マコト・ワダにくれぐれもよろしく」と伝言を残してお帰りになりました。和田さんのおかげで、大好きな人を不機嫌にしないですんだというオハナシです。

本物の前で歌うのが趣味

ちなみにその後、和田誠さんの個展のオープニングパーティの流れで、バーへ行きました。その日は珍しく、和田さんの古いお友達がたくさんお集まりで、そのなかに中山千夏さんがいらした。私が中山さんにお会いするのはその日が初めてでした。そしてにわかに高校時代の思い出が蘇りました。ちょうど中山千夏さんの「あなたの心に」という歌が大ヒットしていた時代です。私はその歌が大好きでした。学校帰りの夜道、電器屋さんのラジオから流れてくるその歌に合わせ、大声で歌ったことを思い出します。

そのバーにはカラオケもありました。幾人もの人が交替で歌を披露するうち、とうとう私の番が回ってきて、何か歌えと勧められます。いえいえ、そんな。あら、そうですか。何を歌おうかしら。そりゃもう、あの歌しかないでしょう。私はカラオケ本に記載されている番号を機械に入力すると、マイクを持って立ち上がりました。

「♪あなたの〜、こころにぃ」

気持良く歌い終わって席に戻ると、作曲家の島健さんがニコニコ顔で私を手招きしています。「はい？　なんでしょう」

「上手だったよ」とても褒められるのかと思って近づいていくと、

「アガワさんって、本物の前で歌うのが、趣味なんだね」

シマケンさんは、私がジュリー・アンドリュースの前で歌ったことを誰かから聞いて、すでに知っていらしたのです。

そうか。これは私の趣味だったか。初めて気がつきました。ただ私としては、その人の歌がどれほど好きだったか、それを当の本人に伝えたいだけなのです。でも、どうやら今後はその衝動を控えたほうがいいようです。少なくともインタビュアーを続けるつもりなら。だけど、歌いたくなるんですよねえ、本物が目の前にいると。

33　相手に合わせて服を選ぶ

インタビューをするときは、当然のことながら、あくまでもゲストが主役です。そうであることを、ゲストもまわりの人間も、そして聞き手である私自身もちゃんと認識しておくために、聞き手はできるだけ地味な格好で臨むほうがいい。特に連載を始めた当初は、そう堅く信じておりました。

私が着ていく洋服は、ゲストより派手になってはいけない。だから、だいたいモノトーン。黒、白、紺、グレーといった色合いのものを選んでいたつもりです。デザインも、スタンダードなスーツやジャケットを愛用しておりました。

しかし、なんたって週刊誌です。週に一回、掲載されるペースです。しかもインタビュー自体はゲストの都合や様々な事情によって、規則的に週に一度というわけにはいかず、ときには週二回、ひどいときは一日に二人ということもあります。根がずぼらな性格のせいか、もともとお洒落のセンスが欠けているのか、インタビューに出かけるたび、衣装に頭を使うのがだんだん面倒くさくなり、だいいちそれほどたくさんのモノトーンの服を持っているわけではなかったので、

「前回もこのジャケット、着ていったような気がするけれど、ま、いっか。どうせ黒子なんだから、誰も気がつきゃしないだろう」

そんな具合で、「地味ならいい」と割り切って、出かけておりました。

あるとき、美輪明宏さんのお宅へインタビューに伺いました。玄関から一歩、中へ入ると、ここはフランスの貴族のお宅かと見紛うほどのゴージャスな内装です。大理石の床、猫足のソファ、きらきら輝くシャンデリア……。

もちろん美輪さんご自身のゴージャスさにも目を見張ります。色鮮やかなロングドレス

に身を包み、ショールを肩にかけ、優雅に指先を動かしながら、女のたしなみ、歯に衣着せぬ世相批判、三島由紀夫さんの思い出話など、ユーモアを交えつつおおいに語ってくださいました。美輪さんの手にかかると、どれほどの人間が島流し、打ち首、市中引き回しの刑に遭うことやら。そのゆるぎなき断罪ぶりには、胸がスカッとします。

そして対談も終盤にさしかかった頃、私が美輪さんのご著書に載っていた、『色気のある女になりたい』と思うのなら、自分を美しく見せようという意識、些細な行動にもいたわりと思いやりをこめる生活習慣を忘れないことです」という一文に触れ、「具体的にはどうすれば色気のある女になれるでしょうか」と改めて伺うと、美輪さん、私のことを頭のてっぺんから爪先までじっくり観察なさってから、おっしゃったのです。

「あのねえ、もうちょっと……」

「言葉を選ばないで、全部おっしゃってください！」

「お、言わいでか、覚えしや。その格好、何もかも諦めちゃった体育の女教師みたいじゃよ。なんとかしなさい」

その日、私は黒のパンツに白いTシャツ、その上にたしかグレーか黒のジャケットを羽織っていたはずなのですが、インタビューするうちに暑くなり、上着を脱いでしまったのです。脱いだら本当に、味も素っ気もないことおびただしい。

「目立たないことがいちばん！」をモットーにほぼ十年、私は美輪さんの言葉によって目が覚めました。目立たなければ、なんだっていいような格好は、それはそれでまた、ゲストに対して失礼なのだということに気づかされたのです。

気がついたからといって、にわかにお洒落になれるものではないので、しばらくはモノトーン作戦を変えることはなかったのですが、いつの頃からか、白いTシャツに黒やグレーのジャケットといういでたちは消え、少しずつ色のある服を着るようになりました。

最近は、対談に出かけるときの服装を選ぶ際、その日、お会いするゲストの顔を思い浮かべます。そして、そのゲストの雰囲気に似合う服を選ぶようにしています。

たとえば会社の社長や政治家にインタビューするときは、少しきちんとしたスーツやジャケットを着ますが、ミュージシャンやデザイン関係の人に会うときは、ややポップな、くだけた格好にしてみます。若い女優さんやスタイルのいいタレントさんの場合は、対抗意識を燃やしても切ないだけなので、むしろ大人っぽい格好をしようかと考えるし、「イイ男」がゲストだと思うと、どうしよう、何着ていこう、あっちにしようか、いや、あれは先週、着てしまったぞと、出かける直前まで大わらわです。ようやく着るものを決めて家を出てみたら、ブラウスの胸のあたりに食べ物のシミがあるのを発見したりして、ああ、情けなや、と思うこともしばしばです。

これは三宅さん好み？

TVタックルでご一緒する政治評論家の三宅久之さんは、スタジオで顔を合わせ、「よろしくお願いいたします」とご挨拶をするたびに、

「これはこれは。また今日は一段と……」

必ず決まり文句をおっしゃいます。それは私だけにおっしゃるのではなく、誰を相手にしても、ことに女性に対しては、言葉を惜しまれないご様子。どうやらその真意は、

「こう言っておくと、だいたい、いい意味に解釈していただけますからね」

という独特の三宅流処世術のようです。

でもたしかに、「一段と……」のあとに、実のところ何が続くかはわからないのですが、言われた側としては、「一段と、おきれいで」とか「一段と若々しく」とか、そんなふうに褒めていただいたような錯覚を起こすものです。三宅さんとしても、本人を前に、歯の浮くような具体的な形容詞を使わなくて済むから、さほど負担にはならない。さすが三宅

さん！

そんな褒め上手の三宅さんが、ときどき私に向かって、「これはこれは。また今日は……」というところで言葉を止められることがあります。そんなときはたいがい、私の服装に疑問を持っておられるのです。

「あ、今日は、お気に召さなかったでしょうか」

おずおず伺うと、

「いや、そういうわけではないけれど、なんだかねえ、そこらへ買い物に出かけるような軽快なご様子で。私のような年寄りにはどうも馴染みませんな」

テレビの仕事の衣装は、いつもスタイリストさんが用意してくださいます。もう長年のつきあいなので、私の趣味も体型も、似合う似合わないもだいたい理解してくれているのです。でも、TVタックルのような、バラエティだけどやや報道色の強い番組の場合は、ついスタンダードな格好ばかりに偏ってしまう。それはかりではつまらないので、スタイリストさんがときどき、今風の流行を取り入れたり、若い子の間で人気のファッションを試しに持ってきてくれたりします。

「お、可愛いね。大胆だけど、たまにはこんな格好してみようか」

ちょっと冒険のつもりで着てみると、案の定、三宅さんの反応は、「なんじゃ?・」です。今、TVタックルのときの私とスタイリストさんとの会話は、こんなことになっています。

「これは三宅さん好みじゃないかもね」

「これは三宅さん、お好きかも」

もちろん自分の好みを無視することはできません。でも、やはり服装選びに「場」を考慮することは大事だと思います。今日は誰と会い、誰の前でどんな話をするか。インタビュアーとしては、そういうことも気にする必要がある。もっともこれは、あくまで私の願望で、実践のともなわない事態も起こり得るので、「そうか。じゃあ、今後はアガワの服装を綿密にチェックしてみよう」なんて、どうか思わないでくださいまし。

34 食事は対談の後で

対談やインタビューをする際、私はできるだけ「食事は抜きにしてください」と関係者諸氏にお願いします。食べることが目的の対談ならいざ知らず、食事をしながらの仕事の会話は、どうも上手にいきません。

もちろん、普通の食事では、会話をしながら料理をいただいたほうがおいしいですよね。でもそれは、気の合う仲間と、気楽なテーマで、大いに笑って、その都度、料理に対する感動や喜びの言葉も混ぜながらの会話です。ところが会話が主体の食事となると、どうしても、何を食べているのか、何が口のなかでどうなったか、味わう余裕がなくなります。食べるときは、食べることに集中したい。対談相手とお食事をしましょうというのなら、対談を先に片付けて、そのあと、食事をゆっくり楽しみたいと願います。

そう願っていても、そうはいかない事情もときに発生します。週刊文春の対談で岸田今日子さんにお会いしたときは、そういう運びとなりました。「舞台の稽古と、次の仕事の間に対談をするので、そこしか昼食をとる時間がない」という仰せです。それはお気の毒。わかりました。お食事をしながらインタビューさせていただきましょう。

覚悟を決めて、赴きました。場所はホテル内の和食レストランの個室。すでにコースメニューを注文されていたようで、「こんにちは」「よろしくお願いします」と岸田さんとご挨拶をしてまもなく、先付けから始まって次々に料理が運ばれてまいります。

「今度のお芝居は、どんな物語なんですか」

質問をするとき、聞き手の私は食べるわけにはいきません。ものを口に入れながら人に話を聞くのは失礼です。

「今度のお芝居はね……」

ゲストが話し出しているのに、私が食べ始めるのもはばかられる。箸を握ったまま、

「はあ、なるほど」

そして私が質問をする番が回ってくる。食べられない。すると岸田さんが答えてくださる。

「吉行和子と冨士眞奈美とは、なんだかいつのまにか三人仲良くなっちゃって。みんなぜんぜん性格が違うんですけどね」

面白い話に発展しそうな気配を感じ、気を抜いてはいられないので私はさらに食べるタイミングを逸します。傍らには、

「サワラの西京焼きでございます」

「里芋と高野豆腐の煮物でございます」

次々に料理が運ばれてきて、私の横には手をつけていないお皿や小鉢が行列をなしてい

る。テーブルはみるみるお皿で溢れ返り、質問しつつ、そちらもときどき気にかかる。かすかな合間を縫って、なんとか料理を口に運んではみるものの、ほんの一口しか食べることができません。

ところがです。驚いたことに、向かい側に座る岸田さんのお箸はまるで止まることを知らぬかのように、延々と動き続けているのです。でも不思議なことに、私の質問にはしっかり応えてくださっているし、食べ物が言葉を邪魔することもありません。そのうち、私の周辺とは対照的に、岸田さんのまわりのお皿はみごとに空になっていき、とうとう岸田さんは、最後に供された水菓子に至るまで、運ばれてきた料理を一つ残らず、平らげてしまったのです。

「どうもごちそうさまでした。おいしかったわ」

あの独特の色っぽい優雅なお声で、対談終了後、岸田さんは静かに帰っていかれました。

なぜ、あんなふうに美しく召し上がれるのだろう。まるで息をしているのと同じ力の入れ具合で、自然に上品に、相手の気持を微塵も煩わせることなく料理を召し上がる岸田さんの特技には、感服の一語に尽きます。

しばらくのち、そのことをピーコさんにお話ししました。するとピーコさん、

「そうよ、あんた知らないの？　岸田さんの食べ方の美しさは定評があるのよ」

昔、ある役者さんが、新宿紀伊國屋ホール近くのラーメン屋さんで岸田さんが一人、ラーメンをすすっていらっしゃるところを目撃したのだそうです。

「そのときの岸田さんの食べ方が、あまりにもきれいだったので、以後、『ラーメンを、フランス料理のごとく優雅に食べる女優』って、有名になったのよ」

ああ、そんな女になってみたい。質問をしながら、同時に箸やフォークやナイフを動かし、口に食べ物を入れても、いっこう人の気に障らぬインタビュアーになってみたい。でも、たぶん無理でしょう。おいしいものを前にしたら、きっと私は聞き手であることを忘れ、食べることに没頭してしまうに違いありません。おいしいものは、きつい仕事を終えたあとに食べるのが、いちばんです。

35　遠藤周作さんに学んだこと——あとがきにかえて

週刊文春の連載ではありませんが、かつて別の雑誌で遠藤周作さんにインタビューをしたことがあります。

遠藤さんは父の古い友人で、私が小さい頃からちょくちょく我が家にお見えになっていました。サービス精神が旺盛で、父だけではなく私たち子供のことも気にかけてくださり、遠藤さんがいらっしゃると家族は笑い転げてばかりおりました。だから失礼ながら、私は長らく遠藤さんのことを、「小説家」ではなく、「コメディアン」だと思っていました。

私が女学生の頃、朝の礼拝の時間に先生が遠藤さんについてお話しなさいました。私の母校はミッションスクールで、先生がたにもキリスト教の信者が数多くおられました。その一人、敬虔なクリスチャンである女の先生が壇上で、遠藤周作著の『沈黙』という小説に触れ、どれほど素晴らしい作品であるか、遠藤周作という作家がどれほど真面目で信仰心篤く、立派な人間かを滔々と述べられたのです。

私はそれを聞きながら、かすかな違和感を覚えました。自分の知っている遠藤さんと、先生が語られる遠藤さんの落差があまりにも大きくて、どう解釈してよいのか、混乱したのです。

「おお、サワコちゃん、しばらく会わないうちにきれいになったなあ」

遠藤さんはウチにいらっしゃると、私を相手にお世辞を言ってくださいます。

「そうかぁ?」と父が否定すると、

「いやいや、きれいになったぞ。三日見ぬ間の桜かな、だなぁ」

するとと父が大いに喜んで、

「お前、小説家のくせにどうしてそう日本語を知らんのだ。『三日見ぬ間の桜かな』というのは、満開だった桜がすっかり散ってダメになったことを言うんだ。使い方が間違っているぞ、遠藤」

私は遠藤さんのおかげで、その言葉を知ることができました。そして、日本語をそんなに知らなくても、父にどんなに罵倒されても、飄々と可笑しいことを言い続け、まわりを明るい気持にさせてしまう遠藤さんという小説家が大好きでした。

小さい頃から優しくしてくださった遠藤さんを、私がインタビューすることになり、私も複雑な気持になりましたけれど、遠藤さんは私以上に照れていらしたご様子です。友達の娘に、いったい何を語ればいいのかい? 今日は佐和子ちゃんと呼んではいけないと思うから、『阿川さん』というけれど……、と戸惑いつつ、それでも遠藤さんは率先して、楽しいお話をたくさん聞かせてくださいました。互いの共通の『深い知人』である父をサカナにして、ときどき聞き手の私に質問を投げかけながら、持ち前の好奇心をふんだんに発揮して、どんどん会話を盛り立ててくださる。まるでほがらかなセラピストの前で、ケラケラ笑っているうちに、悩み事がなんであったかも忘れてしまった患者のような気分で、爽快感に包まれて対談が終わりかけた頃、遠藤さんがおっしゃいました。

「もうこれくらいで対談終わっていいんじゃないのかな。今日は一人でいろいろしゃべり散らしたけれども、一見、躁病的軽薄に見えるこの話のなかに、実は奥深い意味と象徴を見つけることのできる読者と、それができない読者とがいるでしょう」

私は遠藤さんのこのシメの言葉を、人生の指針として今でも大切に心にしまっています。

そういえば、もう一つ、遠藤さんに教えられたことがありました。

実は、週刊文春の対談を始める数年前、遠藤さんが聞き手を務める雑誌の対談連載で、アシスタントをしていたことがあります。当時は私が主体的に質問する必要はなかったので、遠藤さんとゲストがお話しなさっているのを横でフンフン頷きながら、ときどき言葉を挟む程度のお手伝いしかしていませんでした。

ある日、ある方へのインタビューが終わったとき、遠藤さんが珍しく憤慨していらっしゃいました。いつも人を笑わせてばかりの遠藤さんが怒っているぞ。どうしたんだろう。私は怒りの火の粉が降りかからないよう、静かにしておりましたら、

「ダメだよ、あの人は。ちっとも具体的な話が出てこないんだもの。ちっとも面白くない！」

たしかにそのゲストの口からは、何を伺っても、

「そうですね。どの経験もプラスになりました」

「まあ、どの国を旅しても、大変に面白かったです」

などといった言葉しか出てこなかったのです。そのことが、どうやら遠藤さんはご不満だったらしい。そのとき、私は学びました。

そうか。人の話を聞くときは、具体性というものが大事なんだ。忘れかけておりましたが、インタビューをするときにおいて、「具体的な話を引き出さないとダメだ」と最初に教えてくださったのは、遠藤さんでしたね。お亡くなりになる前に、ちゃんとお礼を申し上げておけばよかった……。天国で遠藤さんはきっと呆れていらっしゃることでしょう。何の役にも立たなかった対談アシスタントが、まさかインタビューのしかたについて、本を出すなんて、世の中変わったなあと、苦笑しておられるかもしれません。

感動的な話。涙なくしては聞けない切ない話。勇気を与えてくれるような清らかな話。

手の込んだ可笑しい話。努力と我慢に満ちた話。つくづくダメな話。情けない話。

人の話はそれぞれです。無口であろうと多弁であろうと、語り方が下手でも上手でも、ほんの些細な一言のなかに、聞く者の心に響く言葉が必ず潜んでいるものです。でもそれが、決して「立派な話」である必要はない。声の出し方、ちょっとした反応、表情、仕草、躊躇、照れ、熱意……。オチもないような下らぬ話の隙間にも、その人らしさや人格が表れていて、そこに共感したくなるような、なにか小さな魅力があれば、それだけでじゅうぶんです。そして、そんな話をする当の本人にとっても、自ら語ることにより、自分自身の心をもう一度見直し、何かを発見するきっかけになったとしたら、それだけで語る意味が生まれてきます。

そのために、聞き手がもし必要とされる媒介だとするならば、私はそんな聞き手を目指したいと思います。

阿川佐和子（あがわ　さわこ）

1953（昭和28）年、東京都生まれ。慶應義塾大学文学部西洋史学科卒。83年から『情報デスクToday』のアシスタント、89年から『筑紫哲也NEWS23』（いずれもTBS系）のキャスターに。98年から『ビートたけしのTVタックル』（テレビ朝日系）、2011年から『サワコの朝』（TBS系）にレギュラー出演。99年檀ふみ氏との往復エッセイ『ああ言えばこう食う』（集英社）で第15回講談社エッセイ賞を、2000年『ウメ子』（小学館）で第15回坪田譲治文学賞を、08年『婚約のあとで』（新潮社）で第15回島清恋愛文学賞を受賞。「週刊文春」対談ページ「阿川佐和子のこの人に会いたい」は連載900回を突破している。近著に『うから　はらから』（新潮社）、『咲くも咲かぬも花嫁修業』（東京書籍）、『ピーコとサワコ』（ピーコ氏との共著、文春文庫）、『センス・オブ・ワンダーを探して』（福岡伸一氏との共著、大和書房）など。

文春新書

841

聞《き》く力《ちから》

心をひらく35のヒント

2012年（平成24年）1月20日　第1刷発行
2012年（平成24年）12月25日　第25刷発行

著　者　　阿川佐和子
発行者　　飯窪成幸
発行所　株式会社　文藝春秋

〒102-8008　東京都千代田区紀尾井町3-23
電話（03）3265-1211（代表）

印刷所　　理想社
付物印刷　大日本印刷
製本所　　大口製本

定価はカバーに表示してあります。
万一、落丁・乱丁の場合は小社製作部宛お送り下さい。
送料小社負担でお取替え致します。

ISBN978-4-16-660841-6